武經七書

第四冊

〔春秋〕孫武 等 著
崇賢書院 釋譯

北京聯合出版公司

莊子選

郭慶藩 輯錄

王孝魚 [整理]

北京古籍出版社

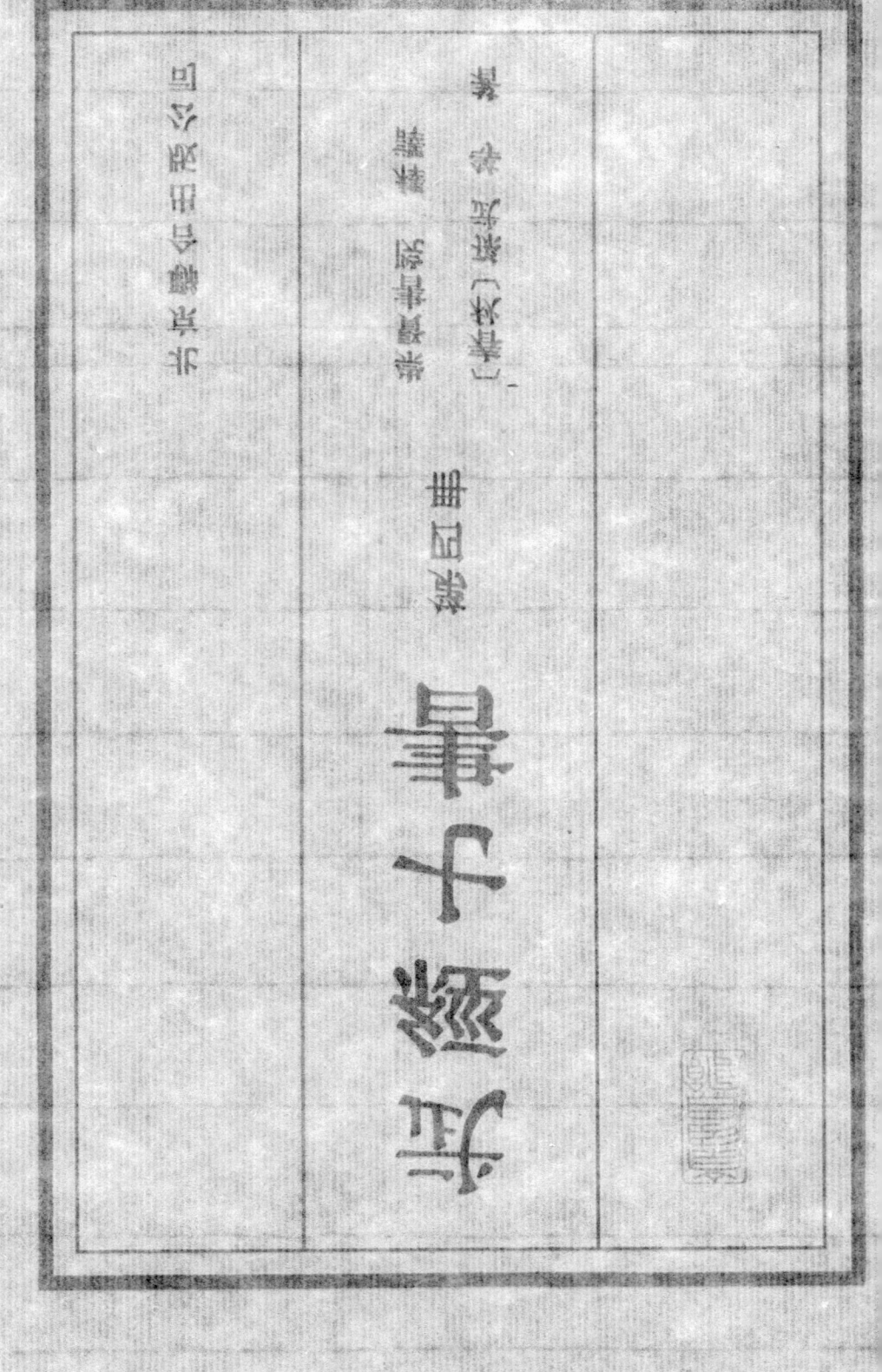

賞罰第十一

原文 文王問太公曰：「賞所以存勸，罰所以示懲，吾欲賞一以勸百，罰一以懲衆，爲之柰何？」

太公曰：「凡用賞者貴信，用罰者貴必。賞信罰必，於耳目之所聞見，則所不聞見者莫不陰化矣。夫誠，暢於天地，通於神明，而況於人乎？」

譯文 文王問太公說：「獎賞是用來勉勵人的，懲罰是用來警戒人的，我想要通過獎賞一個人來勉勵一百個人，懲罰一個人來警戒衆人，應該怎麼辦？」

太公回答：「通常施行獎賞貴在守信，施行懲罰貴在必行。獎賞守信，懲罰必行，是人們能夠耳聽目見的，即使不能耳聽目見，也能因此被暗中感化。這種誠信，暢行於天地，上通神明，更何況是對人呢？」

兵道第十二

原文 武王問太公曰：「兵道如何？」

太公曰：「凡兵之道莫過乎一。一者能獨往獨來。黃帝曰：『一者階於道，幾於神。』用之在於機，顯之在於勢，成之在於君。故聖王號兵爲凶器，不得已而用之。今商王知存而不知亡，知樂而不知殃。夫存者非存，在於慮亡；樂者非樂，在於慮殃。今王已慮其源，豈憂其流乎！」

譯文 武王問太公說：「用兵的原則有哪些？」

太公回答：「一般用兵的原則，最重要的是精純專一。做到了精純專一，就能不受約束，自由行動，無往不利。黃帝說：『精純專一，是通往達到掌握萬物根本規律這一境界的階梯，接近於出神入化。』運用這一原則的關鍵在於把握時機，顯示這一原則在於利用態勢，成功的樞機在於君主的作爲。所以

紂王摘星樓自焚

公元前一〇四六年，周武王伐紂，在極野之戰中，周武王擊敗商軍。紂王在摘星樓自焚而死，商朝滅亡。

古代的聖王把戰爭視爲不祥之物，祇有在不得已的情況下纔使用它。現在商王只知道自己的統治還存在，不知道自己的統治已經瀕臨滅亡；祇知道縱情享樂，不知道大禍就要臨頭。一個國家現在還存在並不意味着能長久存在，想要長久存在，就要時刻考慮到亡國的危險；眼下安樂並不意味着能長久安樂，想要長久安樂，就要時刻考慮到災禍的逼近。現在大王已經考慮到安危存亡這一根本問題，哪裏還用憂慮其他枝節問題啊！」

原文

武王曰：「兩軍相遇，彼不可來，此不可往，各設固備，未敢先發，我欲襲之，不得其利，爲之奈何？」

太公曰：「外亂而內整，示飢而實飽，內精而外鈍。一合一離，一聚一散，陰其謀，密其機，高其壘，伏其鋭士，寂若無聲，敵不知我所備。欲其西，襲其東。」

譯文

武王問：「兩軍相遇，敵人不能來攻打我軍，我軍也不能去攻打敵

先秦子書

六韜

二一〇

崇賢館

武王問：「兩軍相距，彼人不能來，我人不能往，各設固備，未敢先發，我欲往而襲之，彼亦設備，為之奈何？」

太公曰：「外亂而內整，示飢而實飽，內精而外鈍。一合一離，一聚一散，陰其謀，密其機，高其壘，伏其銳士，寂若無聲，敵不知我所備。欲其西，襲其東。」

武王曰：「兩軍相望，欲其來，我不可往，欲其往，我不可來，為之奈何？」

太公曰：「中人以勇力，氣勢自若，外示怯弱，示之不能……」

……

公元前一〇四六

人，各自設置堅固的防禦，誰都不敢率先發動進攻，我軍想要襲擊敵人，但又不具備有利條件，應該怎麼辦呢？」

太公回答：「這就需要在表面上裝出混亂的樣子，而內部實際上嚴整；表面上裝出缺乏糧食的樣子，而實際上給養充足；實際上有強大的戰鬥力，而表面上裝出戰鬥力軟弱的樣子。使軍隊忽合忽離，忽聚忽散，暗中施行計謀，隱藏機密，加高鞏固自己的壁壘，埋伏好自己的精銳戰士，軍營裏寂靜無聲，敵人無法得知我軍所作的戰前部署。想要從西邊攻擊敵人，則要從東邊佯裝進攻。」

原文　武王曰：「敵知我情，通我謀，爲之奈何？」

太公曰：「兵勝之術，密察敵人之機而速乘其利，復疾擊其不意。」

譯文　武王問：「如果敵人瞭解我軍的實情，通曉我軍的計謀，應該怎麼辦呢？」

太公回答：「在這種情況下，取得戰鬥勝利的方法，在於細緻地查明敵人的行動機密，迅速把握住有利戰機，然後出其不意地猛烈攻擊敵人。」

武韜

發啓第十三

原文　文王在酆召太公曰：「嗚呼！商王虐極，罪殺不辜。公尚助予憂民，如何？」

太公曰：「王其修德以下賢，惠民以觀天道。天道無殃，不可先倡；人道無災，不可先謀。必見天殃，又見人災，乃可以謀。必見其陽，又見其陰，乃知其心；必見其外，又見其內，乃知其意；必見其疏，又見其親，乃知其情。

(Image is rotated 180°; text is too faded and low-resolution for reliable OCR.)

譯文

文王在酆邑召見太公，對他說：「唉！商紂王暴虐到了極點，任意殺害無罪之人。公尚您來幫助我拯救天下的百姓，怎麼樣？」

太公回答：「大王應該加強德行的修養，禮賢下士，要施惠於民，並觀察天象的變化。如果天象沒有預兆要降下災禍，不可首先倡導征討；如果人事沒有發生災難，不可以首先謀劃興師。一定要等到出現了災禍的天象，又發生了人禍，纔可以謀劃興師討伐。一定要看到商紂王公開言行，又瞭解他在暗中的行動，纔能知道他內心的想法；一定要見到他的外在表現，又得知他內心的想法，纔能瞭解他的本來意圖；一定要看到他在疏遠什麼人，又看到他在親近什麼人，纔能得知他的真情實感。

原文

「行其道，道可致也；從其門，門可入也；立其禮，禮可成也；爭其強，強可勝也。全勝不鬥，大兵無創，與鬼神通。微哉！微哉！與人同病相救，同情相成，同惡相助，同好相趨。

故無甲兵而勝，無衝機而攻，無溝塹而守。

譯文

「決心施行能夠成就王業的正道，就能實現正道；遵循正確的途徑前進，就能實現目的；確立適應社會發展的禮樂制度，這種禮樂制度就一定能取得成功；爭取確立強大的地位，再強大的敵人也能戰勝。以智謀獲取全面的勝利而不需要戰鬥，以聲勢浩大的軍隊先聲奪人而能完好無損地使敵人屈服，做到這一點，可謂用兵如神。真是微妙啊！真是微妙啊！能與人同疾苦而能互相救助，同情感而能互相成全，同憎惡而能互相幫助，同喜好而有共同的追求。所以即使沒有軍隊也能取勝，沒有衝車和雲梯也能進攻，沒有溝壑也能防守。

原文

「大智不智，大謀不謀，大勇不勇，大利不利。利天下者，天下啓之；害天下者，天下閉之。天下者非一人之天下，乃天下之天下也。取天下者，若逐野獸，而天下皆有分肉之心；

若同舟而濟，濟則皆同其利，敗則皆同其害。然則皆有啓之，無有閉之也。

譯文 「真正的智慧，是看不出智慧；真正的謀略，是看不出謀略；真正的勇敢，是看不出勇敢；真正的利益，是看不出利益。爲天下人謀求利益的人，天下人都歡迎他；使天下人受損害的人，天下人都抗拒他。天下不是某一個人私有的天下，而是天下人共同擁有的天下。奪取天下，就像追逐野獸一樣，天下人都有分肉而食的心理；就像同坐一艘船渡河一樣，渡河成功就共同受益，渡河失敗就共同受損。這樣做，天下人就都歡迎他，而不會反抗他。

原文 「無取於民者，取民者也；無取於國者，取國者也；無取於天下者，取天下者也。無取民者，民利之；無取國者，國利之；無取天下者，天下利之。故道在不可見，事在不可聞，勝在不可知。微哉！微哉！鷙鳥將擊，卑飛斂翼；猛獸將搏，弭耳俯伏；聖人將動，必有愚色。

譯文 「表面上不向民衆索取，實際上卻從民衆那裏獲得利益；表面上不向別國索取，實際上卻是從別國那裏獲得利益；表面上不向天下索取，實際上卻是從天下取得利益。不掠奪民衆利益的，民衆就給予他利益；不掠奪別國利益的，別國就給予他利益；不掠奪天下利益的，天下就給予他利益。所以這種方法的微妙之處在於使人看不見，辦事情的微妙之處在於使別人聽不到，勝利的微妙之處在於使人不可知。真是微妙啊！真是微妙啊！凶猛的鳥在攻擊之前，一定採取低飛收翼的姿勢；凶猛的野獸在搏擊之前，一定採取帖耳伏地的姿勢；聖人在採取行動之前，一定表現得非常愚笨。

原文 「今彼殷商，衆口相惑，紛紛渺渺，好色無極，此亡國之徵也。吾觀其野，草菅勝穀；吾觀其衆，邪曲勝直；吾觀其

吏，暴虐殘賊，敗法亂刑。上下不覺，此亡國之時也。

【譯文】「現在那個商朝，民衆互相欺騙，社會雜亂紛擾，商王好色荒淫沒有止境，這是亡國的徵兆。我觀察那裏的田地，野草蓋過了莊稼；我觀察那裏的民衆，奸邪的超過了正直的；我觀察那裏的官吏，暴虐殘酷，違法亂紀。這些危機君臣上下都沒有發覺，這正是國家該滅亡的時候。

【原文】「大明發而萬物皆照，大義發而萬物皆利，大兵發而萬物皆服。大哉聖人之德！獨聞獨見，樂哉！」

【譯文】「太陽一出來，天下萬物都被照耀；正義的事情一進行，天下萬物都蒙受利益；正義的軍隊一發動，天下萬物都會歸附。偉大啊，聖人的德化！他獨到的見解，無人能及，這真是最偉大的快樂！」

文啓第十四

【原文】文王問太公曰：「聖人何守？」

太公曰：「何憂何嗇，萬物皆得；何嗇何憂，萬物皆遒。政之所施，莫知其化；時之所在，莫知其移。聖人守此而萬物化！何窮之有，終而復始！優之遊之，展轉求之；求而得之，不可不藏；既以藏之，不可不行；既以行之，勿復明之。夫天地不自明，故能長生；聖人不自明，故能名彰。

【譯文】文王問太公說：「聖人治理國家應該遵守什麼原則？」

太公說：「不必憂慮什麼，不必吝惜什麼，萬物就能各得其所；不去吝惜什麼，不去憂慮什麼，萬物就會繁榮美好。政令的施行，要讓百姓在不知不覺中受到教化；就好像時間的存在一樣，令人們感覺不到它的推移。聖人堅守這一原則行事，天下萬物就會被潛移默化！循環往復，終而復始，哪裏還有窮盡啊！這種從容不迫、悠然自得的無爲政治，聖人必須反復思索探求；如果探求到了，那就不能不秘藏於心；既然已經秘藏於心，就不能不在施政中

加以推行；既然在施政中加以推行，就沒有必要再將它宣揚出去。天地不自我宣揚，所以能使萬物生長；聖人不自我宣揚，所以能夠建功立業，流芳百世。

原文

「古之聖人聚人而爲家，聚家而爲國，聚國而爲天下，分封賢人以爲萬國，命之曰『大紀』。陳其政教，順其民俗，群曲化直，變於形容，萬國不通，各樂其所，人愛其上，命之曰『大定』。嗚呼！聖人務靜之，賢人務正之。愚人不能正，故與人爭。上勞則刑繁，刑繁則民憂，民憂則流亡。上下不安其生，累世不休，命之曰『大失』。

譯文

「古代的聖人把人們聚集在一起，讓他們組成家庭，把家庭聚集在一起組成國家，把國家聚集在一起組成天下，分封賢能之人爲諸侯，建立萬國，這一切可以命名爲治理天下的『綱紀』。宣揚政治和教化，順應民衆的風俗習慣，使邪僻的人變得正直，神色和舉動都有所改變，各國的風俗習慣雖然不同，但人民都能安居樂業，人們敬愛他們的君主，這種情況可以命名爲『大定』。啊！聖人致力於清靜無爲，賢能之人致力於端正身心。愚昧的君主不懂得端正身心，所以會同民衆相爭。君主煩苛多事，那麼刑罰就繁多；刑罰繁多，那麼民衆就會憂慮；民衆憂慮，就會流離逃亡。上下都惶惶不安，以致長期動亂不止，這種情況可以命名爲『大失』。

原文

「天下之人如流水，障之則止，啓之則行，靜之則清。嗚呼！神哉！聖人見其所始，則知其所終。」

文王曰：「靜之奈何？」

太公曰：「天有常形，民有常生，與天下共其生而天下靜矣。太上因之，其次化之。夫民化而從政，是以天無爲而成事，民無與而自富，此聖人之德也。」

文王曰：「公言乃協予懷，夙夜念之不忘，以用爲常。」

【譯文】「天下民心的向背就像流水一樣，阻塞它就停止，引導它就流動，使它靜止就清澈。啊！多麼神奇啊！衹有聖人才能看到它的開始，進而推斷出它的結果。」

文王問：「如何使天下清靜呢？」

太公回答：「上天有固定的運行規律，人民也有固定的生活原則，君主如果能與天下的民衆共同安居樂業，那麼天下自當清靜。最好的政治是順應萬物的本性進行治理，次一點的政治是通過教化來感化民衆。民衆一旦被感化就會服從政令，所以說天道無爲而治而能使萬物生長，民衆不用給予他們什麼就能夠富足，這就是聖人的德治。」

文王說：「您的話十分符合我的心意，我日夜思考，念念不忘，把它作爲治理天下的準則。」

文伐第十五

【原文】文王問太公曰：「文伐之法奈何？」

太公曰：「凡文伐有十二節：

【譯文】文王問太公說：「採用非軍事手段打擊敵人，應該怎麼做呢？」

太公回答：「採用非軍事手段打擊敵人大致有十二種方法：

【原文】「一曰，因其所喜，以順其志，彼將生驕，必有奸事，苟能因之，必能去之。

【譯文】「第一，根據敵國君主的喜好，來順應滿足他的欲望，那麼他就會滋生驕傲情緒，肯定會做邪惡的事情，如果能巧妙地利用這一點，一定能夠除掉他。

【原文】「二曰，親其所愛，以分其威。一人兩心，其中必衰。廷無忠臣，社稷必危。

譯文 「第二，親近拉攏敵國君主喜愛的人，從而分化削弱敵國君主的威力。敵國君主喜愛的人懷有二心，那麼他對君主的忠誠度一定降低。朝廷沒有忠臣，國家必定面臨危亡。」

原文 「三曰，陰賂左右，得情甚深，身內情外，國將生害。」

譯文 「第三，暗中賄賂敵國君主的近臣，同他們建立深厚的交情，使他們身在敵國內而心向國外，那麼敵國就將發生禍害。」

原文 「四曰，輔其淫樂，以廣其志，厚賂珠玉，娛以美人。卑辭委聽，順命而合。彼將不爭，奸節乃定。」

譯文 「第四，誘使敵國君主過放縱享樂的生活，來助長他追求享樂的欲望，用大量珠玉財寶賄賂他，贈送美女討他歡心。與他交往時說話謙恭，曲意聽命，順從他的命令，迎合他的心意。這樣一來，他將不會同我相爭，並且一定會放縱自己邪惡的行爲。」

西施、鄭旦

西施、鄭旦是春秋末期越國美人。時越國稱臣於吳國，越王勾踐臥薪嘗膽，謀復國，把西施和鄭旦獻給吳王夫差，成爲吳王最寵愛的妃子，使吳王迷惑，無心於國事，最衆叛親離，吳國終被勾踐所滅。

「第二」，親近拉攏敵國君主喜愛的人，來分去敵國君主的威力。敵國君主喜愛的人懷有二心，那麼他的勢力必然衰弱。朝廷沒有忠臣，國家必定面臨危亡。

「三曰」。陰賂左右，得情甚深。身內情外，國將生害。

「第三」，暗中收買敵國君主左右的近臣，同他們建立深厚的交情，使他身在敵國內而心向國外，那麼敵國就將會發生禍害。

「四曰」。輔其淫樂，以廣其志，厚賂珠玉，娛以美人。卑辭委聽。順命而合。彼將不爭，奸節乃定。

「第四」，誘使敵國君主過度縱情享樂的生活，來助長其淫逸享樂的欲望，用大量珠玉財寶賄賂他，贈送美女討他歡心，與他交往時說話謙恭，曲意聽命，順從命令，迎合他的意。這樣一來，他亦不會同我爭，進且一步會放鬆自己那些不利之處。

西施、鄭旦

西施、鄭旦是春秋末期越國美人。時越國稱臣於吳國，越王勾踐臥薪嘗膽，謀復國，把西施和鄭旦獻給吳王夫差。成為吳王最寵愛的妃子，使吳王迷戀無心於國事，最終荒廢朝政，吳國終被越所滅。

原文 「五日，嚴其忠臣，而薄其賂。稽留其使，勿聽其事。亟爲置代。遺以誠事，親而信之。其君將復合之。苟能嚴之，國乃可謀。

譯文 「第五，尊敬敵國的忠臣，但是只給他菲薄的禮物。當他出使我國時，要故意加以拖延，不要答復他的問題。盡快促成敵國君主更換使者。將一些真實情況告訴給新來的使者，向敵國表示親近，取得它的信任。這樣一來，敵國君主就會再次同我國談判約合。如果能這樣故意尊敬敵國的忠臣，敵國的君主就會疏遠他，我們就能巧妙地謀取敵國了。

原文 「六日，收其內，間其外，才臣外相，敵國內侵，國鮮不亡。

譯文 「第六，收買敵國朝廷內的大臣，離間敵國朝廷外的大臣，使敵國有才幹的大臣幫助外國，而敵國內部互相傾軋，這樣的國家很少有不滅亡的。

原文 「七日，欲錮其心，必厚賂之；收其左右忠愛，陰示以利，令之輕業，而蓄積空虛。

譯文 「第七，要想牢固地控制敵國君主的思想，使他對我國深信不疑，就一定要贈送給他豐厚的禮物；同時收買他的忠君愛國的親信大臣，暗中許給他們各種好處，使敵國君主輕視生產，促使敵國物資缺乏，糧倉空虛。

原文 「八日，賂以重寶，因與之謀；謀而利之，利之必信，是謂重親。重親之積，必爲我用。有國而外，其地大敗。

譯文 「第八，用貴重的寶物賄賂敵國君主，然後趁機與他共同圖謀第三國；使這一圖謀對他有利，他獲利之後一定會信任我們，這就叫用重金收買從而結成親密關係。這種親密關係進一步發展，其結果必定能爲我所用。作爲擁有一個國家的君主卻被外國利用，他的國家一定會以慘敗終結。

原文 「九日，尊之以名，無難其身；示以大勢，從之必信，

致其大尊；先爲之榮，微飾聖人，國乃大偷。

譯文 「第九，用煊赫的稱號尊奉敵國君主，不讓他經歷危難；讓他覺得自己擁有很大的威勢，順從他的意志，以取得他的信任，使他獲得至高無上的尊榮；事先對他大加恭維稱頌，巧妙地將他比作聖人，這樣一來，他必定妄自尊大，進而懈怠國事。

原文 「十日，下之必信，以得其情；承意應事，如與同生；既以得之，乃微收之；時及將至，若天喪之。

譯文 「第十，對敵國君主表現得謙卑屈從，就一定能夠取得他的信任，從而獲取他的真實情況；秉承他的意志，順應他的要求，就像同胞兄弟一樣親密；既然已經取得了他的信任，就可以微妙地加以控制操縱；等待時機成熟後，就能輕易地消滅他，如同有上天相助。

原文 「十一日，塞之以道。人臣無不重貴與富，惡危與咎。陰示大尊，而微輸重寶，收其豪傑。內積甚厚，而外爲乏。陰納智士，使圖其計；納勇士，使高其氣。富貴甚足，而常有繁滋。徒黨已具，是謂塞之。有國而塞，安能有國？

譯文 「第十一，用各種方法閉塞敵國君主的視聽。大凡臣民沒有不追求地位和財富，厭惡危險和災禍的。所以暗中許諾給他們高官貴爵，並秘密贈送給他們珍貴的寶物，來收買敵國的英雄豪傑。國內實際上蓄積了很多財富，而表面上要假裝貧乏。暗中招納敵國有智謀的人，讓他們與自己共同圖謀大計；招納敵國的勇士，利用他們提高我方的士氣。讓這些人享有足夠的富貴，這樣就能經常有人加入進來。在國外有替我們效力的黨徒，這樣就能閉塞敵國君主的視聽。敵國的君主雖然還統治著國家，但是卻被閉塞了視聽，怎麼還能保住自己的國家呢？

原文 「十二日，養其亂臣以迷之，進美女淫聲以惑之，遺良

犬馬以勞之，時與大勢以誘之，上察而與天下圖之。

譯文 「第十二，培養扶植敵國朝廷中的作亂之臣，以迷惑敵國君主的心志；進獻美女和樂工，用來禍亂他的意志；贈送獵犬和駿馬，用來使他的身體疲勞睏頓；經常用有利的形勢奉承他，誘騙他妄自尊大，然後觀察有利的時機，與天下人共同圖謀他的國家。

原文 「十二節備，乃成武事。所謂上察天，下察地，徵已見，乃伐之。」

譯文 「正確運用這十二種非軍事手段之後，就可以進一步採取軍事行動了。這就是所謂的上察天時，下觀地利，等到對我們有利的徵兆顯露出來以後，就出兵征討敵國。」

順啓第十六

原文 文王問太公曰：「何如而可爲天下？」

太公曰：「大蓋天下，然後能容天下；信蓋天下，然後能約天下；仁蓋天下，然後能懷天下；恩蓋天下，然後能保天下；權蓋天下，然後能不失天下；事而不疑，則天運不能移，時變不能遷。此六者備，然後可以爲天下政。

譯文 文王問太公說：「應該怎樣做才能治理好天下？」

太公說：「氣量足以覆蓋整個天下，然後纔能包容天下；誠信足以覆蓋整個天下，然後纔能約束天下；仁愛足以覆蓋整個天下，然後纔能使天下歸服；恩德足以覆蓋整個天下，然後纔能保住天下；權勢足以覆蓋整個天下，然後纔能不失去天下；遇事而不遲疑，那麼天命的變化不能使之改變，時勢的變化不能使之遷移。這六點都具備了，然後纔能執政天下。

原文 「故利天下者，天下啓之；害天下者，天下閉之；生天下者，天下德之；殺天下者，天下賊之；徹天下者，天下通

之；窮天下者，天下仇之；安天下者，天下恃之；危天下者，天下災之。天下者非一人之天下，唯有道者處之。」

譯文 「所以，使天下人受到損害的，天下人都抗拒他；使天下人獲利的，天下人都會歡迎他；使天下人得以生存的，天下人都感激他的恩德；使天下人遭受滅絕危險的，天下人都會來毀滅他；使天下人的生路條條貫通的，天下人都會讓他的事業暢通無阻；使天下人窮困的，天下人都會仇視他；使天下人得到安穩的，天下人都會依靠他；使天下人遭受危險的，天下人就會使他遭受災害。天下並不是哪一個人的天下，祇有仁德的人才能擁有治理天下的權力。」

三疑第十七

原文 武王問太公曰：「予欲立功，有三疑：恐力不能攻強、離親、散衆，爲之奈何？」

太公曰：「因之，愼謀，用財。夫攻強，必養之使強，益之使張。太強必折，太張必缺。攻強以強，離親以親，散衆以衆。凡謀之道，周密爲寶。設之以事，玩之以利，爭心必起。

譯文 武王問太公說：「我想建功立業，但有三點疑惑：一是擔心自己的力量不能攻破強大的敵人，二是擔心不能離間敵國君主的親信，三是擔心不能使敵國民心渙散，應該怎麼做呢？」

太公回答：「先要因勢利導，然後愼用計謀，最後使用錢財。進攻強敵，一定先要縱容他，令其持強蠻橫，幫助他擴張勢力。過於強橫，就一定會遇到挫折；過度擴張，就一定會有失誤。要進攻強大的敵人，應該先利用他的強大；離間敵人的親信，應該先利用敵人的親信；要使敵國民心渙散，應該先利用敵國的民衆。大凡運用計謀，都應該以周密爲最重。要安排一些事情，要用各種利益加以引誘，他們一定會產生互相爭奪的心理。

原文

「欲離其親，因其所愛，與其寵人，與之所欲，示之所利，因以疏之，無使得志。彼貪利甚喜，遺疑乃止。」

譯文

「想要離間敵國君臣，應當根據他所喜愛的東西，並通過他所寵信的人來施行；送給他們想要得到的東西，許給他們豐厚的利益，通過這些來疏遠他們與其君主的關係，使他們不能有所作爲。他們在獲得種種利益之後一定覺得十分高興，這樣就會停止對我方意圖的懷疑。」

原文

「凡攻之道，必先塞其明，而後攻其強，毀其大，除民之害。淫之以色，啖之以利，養之以味，娛之以樂。既離其親，必使遠民，勿使知謀，扶而納之，莫覺其意，然後可成。」

譯文

「通常進攻強大的敵國，首先要閉塞敵國君主的視聽，然後再進攻他強大的軍隊，毀壞他的大城邑，解除民衆的痛苦。要做到這些，對於敵國的君主，應該用美女去迷惑他，用利益去引誘他，用美味去供養他，用靡靡之音使他迷亂。既然已經離間了他的親信，必須進一步使他同自己的民衆疏遠，不要讓他識破我方的計謀，誘導他進入我方設置的陷阱中，並使他自己毫不知覺，這樣我們的計謀就成功了。」

原文

「惠施於民，必無愛財。民如牛馬，數餧食之，從而愛之。

「心以啓智，智以啓財，財以啓衆，衆以啓賢，賢之有啓，以王天下。」

譯文

「對廣大民衆施加恩惠，一定不要吝惜財物。民衆就如同牛馬，一定要經常喂養他們，他們就會追從並親近自己。

「用心思考能夠產生智慧，智慧能夠產生財富，財富能夠贏得民衆，民衆中會出現賢才，賢才出現了並爲我所用，就可以完成統一天下的王業。」

龍韜

王翼第十八

原文 武王問太公曰：「王者帥師，必有股肱羽翼，以成威神，爲之奈何？」

太公曰：「凡舉兵帥師，以將爲命。命在通達，不守一術。因能受職，各取所長，隨時變化，以爲綱紀。故將有股肱羽翼七十二人，以應天道。備數如法，審知命理，殊能異技，萬事畢矣。」

譯文 武王問太公說：「君主統率軍隊，一定有作爲股肱和羽翼的輔佐之人，以造成尊貴威嚴、神奇莫測的氣勢，如何纔能做到這一點呢？」

太公回答：「通常用兵統率軍隊，應該把將領視爲全軍的首腦。全軍的首腦在指揮軍隊時應該事理通達，而不能只精通一種本領。所以，在選用人才

任用三傑

三傑即張良、蕭何、韓信。張良精通謀略，能運籌帷幄，決勝千里；蕭何精通管理，能鎮守國家，撫安百姓，供給軍餉，不至乏絕；韓信精通兵法，能統百萬之兵，以戰則必勝，以攻則必取。漢高祖任用這三位賢能的人，最終打敗項羽，奪得天下。這就是正確任用人才而成功的例證。

龍韜

王翼第十八

武王問太公曰：「王者帥師，必有股肱羽翼，以成威神，為之奈何？」

太公曰：「凡舉兵帥師，以將為命。命在通達，不守一術。因能授職，各取所長，隨時變化，以為綱紀。故將有股肱羽翼七十二人，以應天道。備數如法，審知命理，殊能異技，萬事畢矣。」

[illegible]

[illegible]

時，應該根據實際能力授予官職，取其所長，處理事情時根據情況的不同靈活運用，並使之成爲一項制度。所以，作爲將帥，需要有七十二個輔助之人，從而順應天道的七十二候。按照這種方法編制配備助手，清楚地知道天命和事理，發揮各種人才的特殊才能，那麼作爲將領的各項任務就可以圓滿地完成了。」

原文 武王曰：「請問其目？」

太公曰：「腹心一人。主潛謀應卒，揆天消變，總攬計謀，保全民命。

譯文 武王問：「請問人員編制的具體情況是什麼？」

太公回答：「心腹之人一人。他的主要任務是暗中參謀策劃，應對突發事件，觀測天象，探知天意，消除災變，總攬軍國大計，保全民衆的生命。

原文 「謀士五人。主圖安危，慮未萌，論行能，明賞罰，授官位，決嫌疑，定可否。

譯文 「謀士五人。主要任務是謀劃全軍的安全，考慮尚未發生的事變，鑒定將士的德行和才能，明確賞罰制度，授予各種官職，決斷疑難問題，確定事情是否可行。

原文 「天文三人。主司星曆，候風氣，推時日，考符驗，校災異，知天心去就之機。

譯文 「天文三人。負責觀察天象，掌握曆法，佔驗風向和時氣的變化，推演時日吉凶，驗證人事是否符合天意，核驗災異現象，從而掌握天意向背發生變化的關鍵所在。

原文 「地利三人。主三軍行止形勢，利害消息，遠近險易，水涸山阻，不失地利。

譯文 「地利三人。負責查明全軍的行軍道路以及駐之地的地形地勢，分

攝伏旗鼓者三人，主攝伏旗鼓，明三軍之耳目。鼓所以明耳，旗所以明目；言三軍之衆，視不相見，故明之以旗；言不相聞，故明之以鼓。或詭符印，使之不可知。或謬號令，使之不可測。忽往來，出入如神，使敵莫能窺我之形也。

析其利弊得失和各種變數，無論是距離的遠近，地形的險易，還是進入缺水地帶，或進入險阻的山區，都能確保我軍不失去地理優勢。

原文 「兵法九人。主講論異同，行事成敗，簡練兵器，刺舉非法。

譯文 「兵法九人。負責研究討論敵我形勢的異同，分析討論作戰勝負的原因，精心選擇並熟練掌握兵器，檢舉揭發軍中的非法行爲。

原文 「通糧四人。主度飲食，備蓄積，通糧道，致五穀，令三軍不困乏。

譯文 「通糧四人。負責計算全軍糧草所需，籌備物資儲存，確保糧道暢通無阻，徵收籌集軍糧，使全軍不至於感到物資匱乏。

原文 「奮威四人。主擇材力，論兵革，風馳電掣，不知所由。

譯文 「奮威四人。負責選拔勇士，研究優良的武器裝備，以保證作戰時士兵能夠風馳電掣般行動，使敵人不知道他們從何而來。

原文 「伏鼓旗三人。主伏鼓旗，明耳目，詭符節，謬號令，闇忽往來，出入若神。

譯文 「伏鼓旗三人。負責熟練地掌握運用鼓和旗傳達命令的方法，使全軍在鼓和旗的指揮下能統一行動，製造假符節，發佈假命令，用來迷惑敵人，突然往來，神出鬼沒。

原文 「股肱四人。主任重持難，修溝塹，治壁壘，以備守禦。

譯文 「股肱四人。主要負責擔負重要的使命，從事艱難的工作，修理溝塹障礙，構築壁壘工事，用來防備守禦。

原文 「通材三人。主拾遺補過，應偶賓客，論議談語，消患解結。

譯文 「通才三人。主要負責指出將帥的過失，藉以彌補他的缺點過失，

應酬接待賓客，發表議論，討論問題，藉以消除禍患，解除怨仇。

原文 「權士三人。主行奇譎，設殊異，非人所識，行無窮之變。

譯文 「謀士三人。主要負責籌劃奇謀詭計，設計異術絕技，讓人難以識破，從而施行無窮無盡的權變。

原文 「耳目七人。主往來聽言視變，覽四方之事，軍中之情。

譯文 「耳目七人。主要負責往來探聽消息，察伺大小事變，觀察四面八方發生的動態，以及軍中的情勢。

原文 「爪牙五人。主揚威武，激勵三軍，使冒難攻銳，無所疑慮。

譯文 「武臣五人。主要負責弘揚我軍的威勢，激勵三軍的鬥志，使他們不避禍患，敢於攻堅破銳，並且沒有遲疑和憂慮。

原文 「羽翼四人。主揚名譽，震遠方，搖動四境，以弱敵心。

譯文 「羽翼四人。主要負責宣揚我軍的威名美譽，使之震駭遠方，動搖四方鄰國，藉以削弱敵人的鬥志。

原文 「遊士八人。主伺奸候變，開闔人情，觀敵之意，以爲間諜。

譯文 「遊士八人。主要負責監視敵人派出的奸細，觀察敵人內部的變亂，操縱敵國的人心，觀察敵人的意圖，充當間諜。

原文 「術士二人。主爲譎詐，依託鬼神，以惑衆心。

譯文 「術士兩人。主要負責使用詭詐手段，藉助鬼神，迷惑敵人軍心。

原文 「方士二人。主百藥，以治金瘡，以痊萬病。

譯文 「方士兩人。主要負責管理各種藥品，治療兵刃造成的創傷，醫治各種疾病。

原文 「法算二人。主計會三軍營壁、糧食、財用出入。」

譯文 「法算兩人。主要負責計算全軍所需的營壘、糧食，以及錢財物資的收支。」

論將第十九

原文 武王問太公曰：「論將之道奈何？」

太公曰：「將有五材、十過。」

譯文 武王問太公說：「評論將帥所依據的標準有哪些？」

太公回答：「將帥應該具備的優秀品質有五種，應該避免的缺點有十種。」

原文 武王曰：「敢問其目？」

太公曰：「所謂五材者，勇、智、仁、信、忠也。勇則不可犯，智則不可亂，仁則愛人，信則不欺，忠則無二心。

譯文 武王問：「我冒昧地請問它的具體內容是什麼？」

太公回答：「所謂五種優秀品質，就是勇敢、智慧、仁慈、誠信和忠誠。勇敢就不可侵犯，智慧就不可惑亂，仁慈就會愛護士卒，誠信就不會欺騙他人，忠誠就不會懷有二心。

原文 「所謂十過者，有勇而輕死者，有急而心速者，有貪而好利者，有仁而不忍人者，有智而心怯者，有信而喜信人者，有廉潔而不愛人者，有智而心緩者，有剛毅而自用者，有懦而喜任人者。

譯文 「所謂十種缺點，就是勇敢而輕易赴死，急躁而急於求功，貪婪而喜好財貨，仁慈而不忍心傷害別人，睿智而過於膽怯，誠信而輕信他人，廉潔而不能施予恩惠，機巧多智而優柔寡斷，剛毅而剛愎自用，懦弱而喜歡依賴別人。

原文 「勇而輕死者可暴也，急而心速者可久也，貪而好利者

可遺也，仁而不忍人者可勞也，智而心怯者可窘也，信而喜信人者可誑也，廉潔而不愛人者可侮也，智而心緩者可襲也，剛毅而自用者可事也，懦而喜任人者可欺也。

譯文 「勇敢而輕易赴死的，可以激怒他；急躁而急於求功的，可以採用持久戰術拖垮他；貪婪而喜好財貨的，可以賄賂他；仁慈而不忍心傷害別人的，可以煩勞睏擾他；睿智而過於膽怯的，可以採取措施使他困窘而束手無策；誠信而輕信他人的，可以欺騙他；廉潔而不能施予恩惠的，可以侮辱他；機巧多智而優柔寡斷的，可以突然襲擊他；剛毅而剛愎自用的，可以用瑣事使其心力交瘁；懦弱而喜歡依賴別人的，可以欺負他。

原文 「故兵者，國之大事，存亡之道，命在於將。將者，國之輔，先王之所重也，故置將不可不察也。故曰：兵不兩勝，亦不兩敗。兵出踰境，期不十日，不有亡國，必有破軍殺將。」

武王曰：「善哉！」

譯文 「所以出兵作戰，是國家的大事，是國家存亡的根本，而軍隊的命運卻掌握在將帥的手中。將帥，是國家的輔佐，是文王所重視的，所以任命將帥不可以不認真考察。所以說：出兵作戰，不可能使雙方都取得勝利，也不可能使雙方都失敗。出動軍隊，越過國境，不超過十天，不是使敵國滅亡，就是全軍戰敗，主將被殺。」

武王說：「您說得真好！」

選將第二十

原文 武王問太公曰：「王者舉兵，欲簡練英雄，知士之高下，爲之奈何？」

太公曰：「夫士外貌不與中情相應者十五：有賢而不肖者，有溫良而爲盜者，有貌恭敬而心慢者，有外廉謹而內無至誠

者，有精精而無情者，有湛湛而無誠者，有好謀而不決者，有如果敢而不能者，有悾悾而不信者，有怳怳惚惚而反忠實者，有詭激而有功效者，有外勇而內怯者，有肅肅而反易人者，有嗃嗃而反靜愨者，有勢虛形劣而外出無所不至、無所不遂者。天下所賤，聖人所貴，凡人莫知，非有大明不見其際，此士之外貌不與中情相應者也。」

譯文

武王問太公說：「君王起兵，想要精選傑出人士，瞭解他的品德、能力的高低，應該怎麼做呢？」

太公回答：「士人的外表與他內心實情不相符合的情況有十五種：有表面賢淑而實際上無德無才的，有表面溫和善良而實際上是盜賊的，有表面謙虛恭敬而實際上傲慢無比的，有表面廉潔謹慎而實際不忠誠的，有表面上十分精明而實際上毫無才情的，有表面上厚道穩重而實際上毫無誠信的，有表面

韓信登壇拜將

韓信，西漢開國功臣。初投項羽不受重用，於是投劉邦。劉邦開始並沒有覺得他特別，後來在蕭何的極力推薦下，劉邦纔舉辦了隆重的儀式，正式任命韓信爲大將軍。韓信在楚漢爭霸過程中，爲劉邦的大漢立下大功。可見，知人、識人是很重要的一門學問。

者，有精精而無情者，有湛湛而無誠者，有好謀而不決者，有如果敢而不能者，有悾悾而不信者，有恍恍惚惚而反忠實者，有詭激而有功效者，有外勇而內怯者，有肅肅而反易人者，有嗃嗃而反靜愨者，有勢虛形劣而外出無所不至、無所不遂者。天下所賤，聖人所貴。凡人莫知，非有大明不見其際，此士之外貌不與中情相應者也。」

武王問太公說：「君王興兵，想要精選出人才，瞭解他的品德、能力的高低，應該怎樣做呢？」太公回答：「士人的外表與他內心實情不相符合的情況有十五種：有表面賢能而實際上無德無才的，有表面溫和善良而實際上是盜賊的，有表面謙虛恭敬而實際上傲慢無禮的，有表面廉潔謹慎而實際上不忠誠的，有表面十分精明而實際上毫無才幹的，有表面上厚道樸實而實際上毫無誠信的，有表面

韓信登壇拜將

韓信，西漢開國功臣。初投項羽不受重用，後投劉邦，劉邦開始並沒有發現韓信的特別，後來在蕭何的極力推薦下，劉邦才舉行了隆重的儀式，正式任命韓信為大將軍。韓信在楚漢爭霸過程中，為劉邦的大漢立下大功。可見，知人識人是領導的一門學問。

上多謀而實際上不能決斷的，有表面上果斷而實際上無所作爲的，有表面上誠懇而實際上沒有信用的，有表面上搖擺不定而實際上忠誠可靠的，有表面上怪異偏激而辦事情卻能收到功效的，有表面上勇敢而實際上膽怯的，有表面上嚴肅恭謹而實際上輕視他人的，有表面上嚴酷而實際上沈靜誠實的，有貌不出衆、孱弱醜陋而能外出擔任任何地方的使節，能完成任何使命的。往往是爲天下人所輕視的，卻爲聖人所重視，普通人不能明白其中的道理，衹有慧眼卓識的人才能窺探其中的奥妙，以上這些就是士人的外表與他内心實情不相符合的情況。」

原文 武王曰：「何以知之？」

太公曰：「知之有八徵：一曰問之以言以觀其辭，二曰窮之以辭以觀其變，三曰與之間諜以觀其誠，四曰明白顯問以觀其德，五曰使之以財以觀其廉，六曰試之以色以觀其貞，七曰告之以難以觀其勇，八曰醉之以酒以觀其態。八徵皆備，則賢、不肖別矣。」

譯文 武王問：「怎樣纔能真正瞭解他們呢？」

太公回答：「瞭解他們的方法有八種：一是用問題來詢問他們，來觀察他的應對能力；二是窮究盤問，來觀察他隨機應變的能力；三是利用間諜進行考驗，來觀察他是否忠誠；四是明知故問，來考察他的品德；五是讓他處理財物，來考察他是否廉潔；六是用美色試探他，來觀察他是否堅貞；七是讓他面臨急難變故，來觀察他是否英勇無畏；八是讓他醉酒，來考察他是否能保持常態。這八種方法都運用了之後，那麽是賢還是不肖就可以清楚地區別了。」

立將第二十一

原文 武王問太公曰：「立將之道奈何？」

人君入廟門內，西面而立，就主位也。大將入廟門內，北面而立，就臣位也。君親操鉞，持其首，授將以其柄曰：從此上至於天者，將軍制之。鉞，揚也，有向上之義；故以天言。授鉞而以柄者，欲致果於人也。

太公曰：「凡國有難，君避正殿，召將而詔之曰：『社稷安危，一在將軍。今某國不臣，願將軍帥師應之。』

譯文 武王問太公說：「應該怎樣任命將帥呢？」

太公回答：「通常國家遭遇危難，國君就退避正殿，在偏殿召見主將，詔令他：『國家的安危，全靠將軍了。如今某國反叛不服，希望將軍率領軍隊前去征伐。』

原文 「將既受命，乃命太史卜，齋三日，至太廟，鑽靈龜，卜吉日，以授斧鉞。君入廟門，西面而立；將入廟門，北面而立。君親操鉞持首，授將其柄曰：『從此上至天者，將軍制之。』復操斧持柄，授將其刃曰：『從此下至淵者，將軍制之。見其虛則進，見其實則止，勿以三軍爲衆而輕敵，勿以受命爲重而必死，勿以身貴而賤人，勿以獨見而違衆，勿以辯說爲必然。士未坐勿坐，士未食勿食，寒暑必同。如此，則士衆必盡死力。』將已受命，拜而報君曰：『臣聞國不可從外治，軍不可從中御。二心不可以事君，疑志不可以應敵。臣既受命專斧鉞之威，臣不敢生還。願君亦垂一言之命於臣！君不許臣，臣不敢將。』

譯文 「主將接受任命後，國君就命令太史占卜，齋戒三天，然後到太廟鑽炙靈龜，獲得吉日，向主將授予斧鉞。國君進入太廟，向西站立；主將也進入太廟，向北站立。國君親自拿著鉞的上部，將鉞柄授予主將，並說：『從此，軍中上到天的一切事務全由將軍您處置。』然後親自拿著斧柄，將其刃部授予主將，並說：『從此，軍中下到淵的一切事務全由將軍您處置。看到敵人氣勢虛弱就趁機進攻，看到敵軍強大難勝就停止，不要因爲我軍人數衆多就輕敵，不要因爲任務重大就去拚死，不要因爲身份貴重就輕視他人，不要因爲自己見解獨到就不聽衆人的意見，不要因爲自己能言善辯就認爲必須要

這樣。士卒們還沒有坐下就不要先坐下，士卒們還沒有喫飯就不要先喫飯，或嚴寒或酷暑都要與士卒相同。如果這麼做，那麼士卒將士都會拚死作戰。』主將接受任命後，向國君跪拜，並答復國君：『我聽說國家大事不可受到外部的干預，軍隊外出打仗不可由國君在朝廷內指揮。懷有二心就不能侍奉君主，猶豫寡斷就不能應對敵人。我既然接受任命執掌軍隊的權力，若不取得勝利就不會活著回來。希望國君您讓我全權統轄一切！您如果不授予我這一權力，我就不敢承擔重任。』」

原文 「君許之，乃辭而行。軍中之事，不聞君命，皆由將出，臨敵決戰，無有二心。若此，則無天於上，無地於下，無敵於前，無君於後。是故智者爲之謀，勇者爲之鬥，氣厲青雲，疾若馳騖，兵不接刃，而敵降服。戰勝於外，功立於內，吏遷士賞，百姓歡說，將無咎殃。是故風雨時節，五穀豐熟，社稷安寧。」

武王曰：「善哉！」

譯文 「國君應許了主將的這一請求，主將就辭別國君，領兵出行。從此，軍中的一切事務都不再聽命於國君，而是聽命於主將，與敵人作戰，專心致志。如果這樣，主將進行軍事活動，上不受天時氣候變化的限制，下不受地形地勢變化的限制，前不受敵情變化的限制，後不受國君意見的限制。所以有智謀的人願意替他出謀劃策，勇武之人願意替他作戰，氣勢昂揚直通青雲，行動迅速如同奔馳的駿馬，兩軍還沒有交戰，敵人就已經望風降服。在國外取得戰爭的勝利，在朝廷內建立了功勛，將吏得到了遷陞，士卒得到了獎賞，百姓歡心，主將沒有禍患。所以風調雨順，符合時令節氣的變化，五穀豐收，國家安寧。」

武王說：「您說得真好啊！」

武王曰：「敌骑非甚众，
围而失守。」

[太公曰：]

百战骑兵，数无常形。最为风雨相随，正候丰稔，坑堑未宁。
螺篓，兵不被民，后嫡辟期，弹翻纸长，也立纸内，夷驻士赏。
前，无昔纸众。最好嫡者为少纂，襄者为之门，康关青云，来苦
韶嫡失弹，嫡去二心，苦头，顺无天纸士，无安纸十，无嫡纸
亲床涤不会武善回来。希望围岳恋恋悉全辣总辣一也！欲其果不爱子涤韶一

主，韶辣襄礼涤不谕惫嫡人，来褐来受士命掌军辣色辣氏，若不求辣
韶色千难，军亲长出戈不可由围岳在瞛我内苦轩，郑南二心辣不谕辑奉岳
主辣赴受士命数，向围岳路耕，并苦费围岳。「涤辣韶益围案大辛不可受恒怀

短辣襄短辞喜善喜要与士卒耑回。安果诗恵袭，辰劾士卒耙会辣改弃辣弹。」
诗襄。士卒巨影戍庆坐卜辣不要来坐卜，士卒巨影戍庆眠瘦涤不要来眠瘦。」

孙子兵书《六韬》　二三三　崇贤馆

武王曰：「善哉！」

將威第二十二

原文 武王問太公曰：「將何以爲威？何以爲明？何以爲禁止而令行？」

太公曰：「將以誅大爲威，以賞小爲明，以罰審爲禁止而令行。故殺一人而三軍震者，殺之；賞一人而萬人說者，賞之。殺貴大，賞貴小。殺及當路貴重之臣，是刑上極也；賞及牛豎、馬洗、廄養之徒，是賞下通也。刑上極，賞下通，是將威之所行也。」

譯文 武王問太公說：「主將怎樣樹立自己的威信？怎樣纔能體現自己的英明？怎樣實現所禁必止、有令必行？」

太公回答：「主將通過誅殺地位尊貴、有權勢的人來樹立威信，通過獎賞地位低微、沒有權勢的人來體現自己的英明，通過謹慎周密的處罰來實現所禁必止、有令必行。所以殺一人而能使全軍上下震驚的，就殺掉他；賞一人而能使全軍上下都喜悅的，就獎賞他。施行殺伐貴在能誅殺地位尊貴、有權勢的人，施行獎賞貴在獎賞地位低微、沒有權勢的人。依法處死身居要職的人和貴族權臣，這說明刑罰觸及到了最上層；根據功勞獎賞牧童、馬洗、廄養等人，說明獎賞觸及到了最下層。刑罰觸及到了最上層，獎賞觸及到了最下層，就是主將的威信能夠樹立的原因。」

勵軍第二十三

原文 武王問太公曰：「吾欲令三軍之衆，攻城爭先登，野戰爭先赴，聞金聲而怒，聞鼓聲而喜，爲之柰何？」

太公曰：「將有三勝。」

譯文 武王問太公說：「吾想要使全軍的將士，在攻打城池時爭先登城，在野外作戰時爭先衝鋒，聽到了鉦聲就憤怒，聽到了鼓聲就歡喜，應該怎麼

做呢？」

太公回答：「主將有三種取勝的方法。」

原文

武王曰：「敢問其目？」

太公曰：「將，冬不服裘，夏不操扇，雨不張蓋，名曰禮將；將不身服禮，無以知士卒之寒暑。出隘塞，犯泥塗，將必先下步，名曰力將；將不身服力，無以知士卒之勞苦。軍皆定次，將乃就舍；炊者皆熟，將乃就食；軍不舉火，將亦不舉，名曰止欲將。將不身服止欲，無以知士卒之飢飽。將與士卒共寒暑、勞苦、飢飽，故三軍之衆，聞鼓聲則喜，聞金聲則怒。高城深池，矢石繁下，士爭先登；白刃始合，士爭先赴。士非好死而樂傷也，爲其將知寒暑、飢飽之審，而見勞苦之明也。」

譯文

武王問：「我冒昧地請問這三種方法的具體内容是什麼呢？」

太公回答：「擔任主將，要做到冬天不穿皮衣，夏天不拿扇子，下雨不張傘蓋，這樣的將帥稱爲禮將；主將不親自遵守禮法，就無法體會士卒的冷暖。出入狹窄險要的關塞，走上泥濘的道路，主將必須率先下馬步行，這樣的將帥稱爲力將；主將不身體力行，就無法體會士卒的勞苦。軍隊都宿營完畢了，主將纔能進入自己的宿舍；軍隊的飯菜都做好了，主將纔能進餐；軍隊還沒有生火做飯，主將也不能生火做飯，這樣的將帥稱爲止欲將。主將如果不能習慣克制欲望，就無法體會士卒的飢飽。主將如果與士卒共冷暖、共勞苦、共飢飽，那麼全軍的將士都會聽到鼓聲就歡喜，聽到鉦聲就憤怒。城牆雖然很高，護城河雖然很深，箭矢和滾石雖然頻繁地落下，但是將士們都爭先登城；野戰時，雙方剛一交鋒，將士們都爭先衝鋒。將士們並不是喜歡死亡，樂於傷殘，而是因爲他們的將帥能夠細緻地體會到自己的冷暖、飢飽，明確地感受到自己的勞苦。」

論語

學而第一

子曰：「學而時習之，不亦說乎？有朋自遠方來，不亦樂乎？人不知而不慍，不亦君子乎？」

有子曰：「其為人也孝弟，而好犯上者，鮮矣；不好犯上，而好作亂者，未之有也。君子務本，本立而道生。孝弟也者，其為仁之本與！」

子曰：「巧言令色，鮮矣仁！」

曾子曰：「吾日三省吾身：為人謀而不忠乎？與朋友交而不信乎？傳不習乎？」

子曰：「道千乘之國，敬事而信，節用而愛人，使民以時。」

子曰：「弟子入則孝，出則弟，謹而信，汎愛眾，而親仁。行有餘力，則以學文。」

子夏曰：「賢賢易色；事父母，能竭其力；事君，能致其身；與朋友交，言而有信。雖曰未學，吾必謂之學矣。」

阴符第二十四

「符」與「符節之符」同；或以銅，或以竹為之，中分為二，右留於君，左在將所，有事則陰通而合之。

原文　武王問太公曰：「引兵深入諸侯之地，三軍卒有緩急，或利或害，吾將以近通遠，從中應外，以給三軍之用，爲之奈何？」

太公曰：「主與將有陰符，凡八等：有大勝克敵之符，長一尺；破軍擒將之符，長九寸；降城得邑之符，長八寸；卻敵報遠之符，長七寸；警衆堅守之符，長六寸；請糧益兵之符，長五寸；敗軍亡將之符，長四寸；失利亡士之符，長三寸。諸奉使行符，稽留者，若符事泄，聞者、告者皆誅之。八符者，主將秘聞，所以陰通言語，不泄中外相知之術。敵雖聖智，莫之能識。」

武王曰：「善哉！」

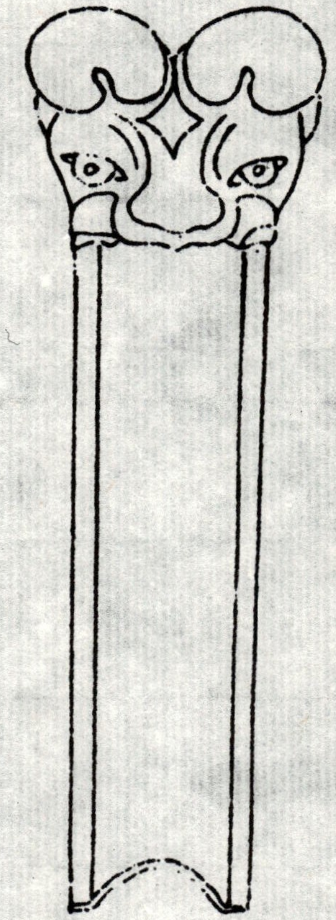

漢虎符

漢代虎符與戰國秦時的虎符，都是可一分爲二，用來通報消息的，在作戰中戰況消息的保密與內外相通是十分重要的，虎符在實戰中的運用是戰爭信息化的開始。

武王曰：「善哉！」

陰符第二十四

武王問太公曰：「引兵深入諸侯之地，三軍卒有緩急，或利或害，吾將以近通遠，從中應外，以給三軍之用，為之奈何？」

太公曰：「主與將有陰符，凡八等：有大勝克敵之符，長一尺；破軍擒將之符，長九寸；降城得邑之符，長八寸；卻敵報遠之符，長七寸；警眾堅守之符，長六寸；請糧益兵之符，長五寸；敗軍亡將之符，長四寸；失利亡士之符，長三寸。諸奉使行符，稽留者，若符事泄，聞者、告者皆誅之。八符者，主將秘聞，所以陰通言語，不泄中外相知之術。敵雖聖智，莫之能識。」

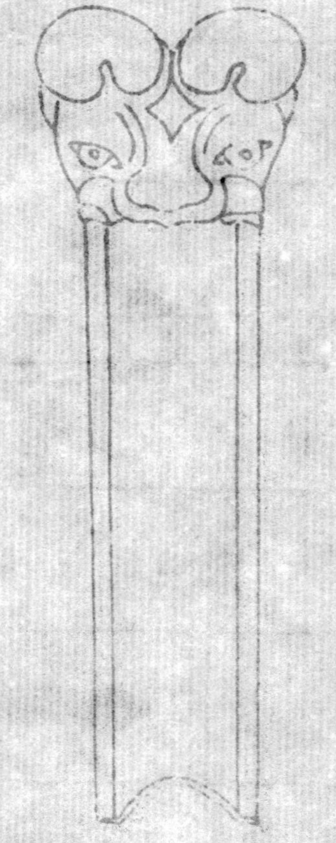

漢虎符

漢代虎符與戰國秦時的虎符，都是可一分為二，用來通報消息的，在作戰中戰況，消息的保密與內外相通是十分重要的，虎符在戰爭中的運用是戰爭信息化的開始。

譯文

武王問太公說：「率領軍隊深入敵國境內，軍隊突然遇到緊急情況，或許對我軍有利，或許對我軍不利，我想要從近處通知遠方，內外相應，以便滿足全軍行動的需要，應該怎麼做呢？」

太公回答：「國君與主將之間有秘密通信的兵符，共有八種：一種是我軍大獲全勝、殲滅敵人的兵符，長一尺；一種是擊破敵軍、擒獲將領的兵符，長九寸；一種是敵軍棄城投降的兵符，長八寸；一種是擊退敵軍通報戰況的兵符，長七寸；一種是激勵將士誓死堅守陣地的兵符，長六寸；一種是請求增加糧草和援兵的兵符，長五寸；一種是通報戰敗、將領陣亡的兵符，長四寸；一種是通報戰鬥失利、士卒傷亡的兵符，長三寸。那些奉命傳遞兵符的使者，如果在路上延誤，或者泄露兵符上的機密，無論是聽到的人還是泄露的人，都一律處死。這八種兵符，祇有國君和主將知道其中的秘密，所以使用這些兵符能夠暗中傳遞消息，是一種不泄露朝廷和戰場之間的秘密的通信手段。即使敵人很聰明，也不能識破其中的奧秘。」

武王說：「您說得真好！」

陰書第二十五

原文

武王問太公曰：「引兵深入諸侯之地，主將欲合兵，行無窮之變，圖不測之利，其事煩多，符不能明，相去遼遠，言語不通，爲之奈何？」

太公曰：「諸有陰事大慮，當用書，不用符。主以書遺將，將以書問主，書皆一合而再離，三發而一知。再離者，分書爲三部；三發而一知者，言三人，人操一分，相參而不相知情也。此謂陰書，敵雖聖智，莫之能識。」

武王曰：「善哉！」

譯文

武王問太公說：「率領軍隊深入敵國境內，國君與主將想要各自

率領軍隊，並使兩支軍隊配合作戰，實施變化無窮的作戰方法，謀求出其不意的勝利，然而事情複雜繁多，使用兵符無法說明問題，相隔遥遠，言語不能通達，應該怎麼做呢？」

太公回答：「各種隱秘的事情、重大的謀慮，都應該用書信來傳達，而不用兵符。國君用書信向主將傳達機密，主將也用書信詢問國君，這些書信，都是把完整的一封書信拆離兩次，分爲三部分，分三次發送，然後把三封信合在一起，纔能讀懂。所謂將書信拆離兩次，就是將書信分爲三部分；所謂分三次發送，然後把三封信合在一起，就是派三個人送信，每人各送一部分，互相摻雜，使每個人都不瞭解書信的內容。這就是所謂的陰書，即使敵人很聰明，也不能識破其中的奧秘。」

武王說：「您說得很好！」

軍勢第二十六

原文 武王問太公曰：「攻伐之道奈何？」

太公曰：「勢因於敵家之動，變生於兩陳之間，奇正發於無窮之源。故至事不語，用兵不言。且事之至者，其言不足聽也；兵之用者，其狀不足見也。倏而往，忽而來，能獨專而不制者，兵也。

譯文 武王問太公說：「進攻作戰的方法有哪些呢？」

太公回答：「我軍在戰場的態勢要根據敵軍的行動因勢利導，戰術的變化在兩軍對陣時靈活發揮，奇正的運用在於將帥慧心獨創而變化無窮。所以最重大的事情不可以說出去，用兵的奧妙不能講出來。並且事情到了最重要的程度後，一切言語都不足聽信；用兵的手段十分高妙，一切情狀都不必讓人看到。忽然而去，忽然而來，能夠獨斷專行而不受制於人，這就是

(This page image appears rotated 180° and is too low-resolution/faded to reliably transcribe.)

用兵的奧妙。

原文　「夫兵聞則議，見則圖，知則困，辨則危。故善戰者，不待張軍；善除患者，理於未生；善勝敵者，勝於無形；上戰無與戰。故爭勝於白刃之前者，非良將也；設備於已失之後者，非上聖也；智與衆同，非國師也；技與衆同，非國工也。事莫大於必克，用莫大於玄默，動莫神於不意，謀莫善於不識。夫先勝者，先見弱於敵，而後戰者也，故事半而功倍焉。

譯文　「我軍的軍事機密泄露，敵人就會採取對策；軍隊的行動暴露，敵人就會圖謀；軍事秘密被敵人得知，我軍就會陷入困境；我軍的作戰策略被敵人明察，我軍就危險了。所以善於用兵的，不用等軍隊擺開陣勢就能取勝；善於消除禍患的，在禍患尚未發生之前進行預防；善於打勝仗的，取勝於無形之中；最高明的戰略是不戰而勝。所以依靠在戰場上殊死搏鬥取勝的，不能稱爲優秀的將領；在打了敗仗之後再部署防備的，不能稱爲智慧超群的人；智慧謀略與普通人一樣的，不能稱爲國師；技藝與普通人一樣的，不能稱爲國工。軍事上最重要的莫過於一定取勝，用兵上最重要的莫過於清靜無爲，軍事行動上最神妙的莫過於出其不意，謀略上最高明的莫過於使人無法辨識測知。所以，未戰而先勝的，都是先向敵人示弱，然後再進行決戰，因而能達到事半功倍的效果。

原文　「聖人徵於天地之動，孰知其紀，循陰陽之道而從其候；當天地盈縮因以爲常；物有死生，因天地之形。故曰：未見形而戰，雖衆必敗。

譯文　「聖人徵驗天地運動，反復探求它變化的規律，遵循日月運轉的規律，因循節候行事；與天地運動的盛衰消長相適應，並以此作爲常規；萬物的榮枯生死，都遵循了天地盈縮變化的規律。所以說：沒有看清整個形勢就

展開戰鬥，儘管軍隊人數衆多，還是一定會失敗的。

原文　「善戰者，居之不撓，見勝則起，不勝則止。故曰：無恐懼，無猶豫。用兵之害，猶豫最大；三軍之災，莫過狐疑。善戰者，見利不失，遇時不疑，失利後時，反受其殃。故智者從之而不釋，巧者一決而不猶豫，是以疾雷不及掩耳，迅電不及瞑目，赴之若驚，用之若狂，當之者破，近之者亡，孰能禦之？

譯文　「善於作戰的人，能守住自己所處的有利地位而不會被假象所干擾，見到有勝利的把握就行動，見到沒有取勝的把握就停止。所以說：不要恐懼，不要猶豫。用兵最大的弊病就是猶豫不決；軍隊最可怕的災難是狐疑。善於用兵的人，看到有利的情況就抓住不放，遇到有利的時機毫不遲疑，失去有利因素錯過時機，自己反而會遭受災禍。所以聰明的人抓住戰機決不放過，靈巧的人一經決斷就不再遲疑，所以發動進攻時像迅雷一樣讓人來不及掩耳，像閃電一樣讓人來不及閉上眼睛，前進時像受驚之馬，作戰時有如發狂，抵擋他的就被擊破，靠近他的就被殺死，這樣的軍隊還有誰能抵擋？

原文　「夫將有所不言而守者神也，有所不見而視者明也。故知神明之道者，野無衡敵，對無立國。」

武王曰：「善哉！」

譯文　「作爲將帥，做到沈靜不漏，能不動聲色地暗中控制，就稱爲神機莫測；做到眼睛不看就能洞察細微，就稱爲明察一切。所以如果將帥懂得了神機莫測和明察一切的道理，就能做到在野外戰場上沒有強敵，在世上沒有可以與之對抗的國家。」

武王說：「您說得眞好啊！」

奇兵第二十七

原文　武王問太公曰：「凡用兵之道，大要何如？」

太公曰：「古之善戰者，非能戰於天上，非能戰於地下，其成與敗，皆由神勢，得之者昌，失之者亡。

譯文

武王問太公說：「通常用兵的方法有哪些要領呢？」

太公回答：「古代善於用兵的人，並不是能戰於天上，也不能戰於地下，他的成功或失敗，都取決於神妙莫測的用兵之勢，能夠造成這種態勢，就能戰勝敵軍，國家昌盛；不能造成這種態勢，就會作戰失敗，國家滅亡。

原文

「夫兩陳之間，出甲陳兵，縱卒亂行者，所以爲變也；深草蓊翳者，所以逃遁也；溪谷險阻者，所以止車禦騎也；隘塞山林者，所以少擊衆也；坳澤窈冥者，所以匿其形也；清明無隱者，所以戰勇力也；疾如流矢，如發機者，所以破精微也；詭伏設奇，遠張誑誘者，所以破軍擒將也；四分五裂者，所以擊圓破方也；因其驚駭者，所以一擊十也；因其勞倦暮舍者，所以十擊百也；奇伎者，所以越深水渡江河也；強弩長兵者，所以踰水戰也；長關遠候，暴疾謬遁者，所以降城服邑也；鼓行喧囂者，所以行奇謀也；大風甚雨者，所以搏前擒後也；僞稱敵使者，所以絕糧道也；謬號令與敵同服者，所以奮走北也；戰必以義者，所以勵衆勝敵也；尊爵重賞者，所以勸用命也；嚴刑重罰者，所以進罷怠也；一喜一怒、一與一奪、一文一武、一徐一疾者，所以調和三軍、制一臣下也；處高敞者，所以警守也；保險阻者，所以爲固也；山林茂穢者，所以默往來也；深溝高壘，糧多者，所以持久也。

譯文

「當兩軍對陣交鋒時，讓士兵脫下戰甲，放下兵器，放縱士兵混亂行列，是爲了誘惑敵人，準備採取出其不意的行動；佔領草木茂密的地帶，是爲了方便退兵逃走；佔領溪谷險要地帶，是爲了阻止敵軍的戰車和騎兵；

佔領道路狹隘阻塞的山林地帶，是爲了實現以少擊衆的目的；佔領隱蔽幽闇的低窪地帶，是爲了隱藏軍隊的行蹤；佔領平坦開闊的地帶，是爲了同敵軍比武鬥力；行動快如飛箭，就像撥動了弩弓的發矢機，是爲了擊破敵軍精心設置的佈局；巧妙地埋伏，設置奇兵，虛張聲勢，欺騙誘惑，是爲了擊破敵軍，擒獲將領；將全軍分成若干小隊，四面出擊，多頭進攻，是爲了擊破敵軍或圓或方的陣勢；乘敵軍驚慌失措的時候發動進攻，是爲了實現以一擊十的目的；乘敵軍疲勞睏倦、夜晚宿營的時候發動進攻，是爲了實現以十擊百的目的；利用各種巧妙的技術和器械，是爲了越過深水、渡過江河；使用強大的弓和長兵器，是爲了滿足踰水作戰的需要；廣佈哨卡，派人到遠方偵察，迅速行動，假裝退兵，是爲了攻破城池降服敵軍；故意大聲鼓噪喧嘩前進，是爲了乘機施行奇妙的計謀；乘著大風驟雨發動進攻，是爲了實現在前搏擊、在後擒拿的目的；假扮成敵軍的使者，潛入敵境，是爲了切斷敵軍的運糧通道；冒用敵軍的號令，穿上敵軍的服飾，是爲了在戰局不利時退兵逃走；在戰前一定向士兵灌輸大義，是爲了激勵士兵戰勝敵人；加重封爵、獎賞的力度，是爲了讓將士更加努力地效命；施行嚴刑重罰，是爲了鞭策疲睏怠惰的人努力上進；有喜有怒、有獎賞有處罰、有禮有威、有弛有張，是爲了協調軍隊的意志、統一上下的行動；佔領高曠地帶，是爲了加強警戒和守備；保住險要地帶，是爲了鞏固防禦；駐紮在深山密林，是爲了隱藏軍隊的往來行蹤；深挖壕溝築高壁壘，廣儲糧食，是爲了準備持久作戰。

原文 「故曰：不知戰攻之策，不可以語敵；不能分移，不可以語奇；不通治亂，不可以語變。」

譯文 「所以說：不懂得攻城和野戰的策略，就不能同他談論對敵作戰的計謀；不懂得靈活機動地使用兵力，就不能同他談論出奇制勝的計謀；不通曉軍隊治亂的關係，就不能同他談論隨機應變的計謀。」

【原文】「故曰：將不仁，則三軍不親；將不勇，則三軍不銳；將不智，則三軍大疑；將不明，則三軍大傾；將不精微，則三軍失其機；將不常戒，則三軍失其備；將不強力，則三軍失其職。故將者人之司命，三軍與之俱治，與之俱亂；得賢將者，兵強國昌；不得賢將者，兵弱國亡。」

武王曰：「善哉！」

【譯文】「所以說：主將不仁慈，就得不到將士的擁護；主將不勇敢，將士就沒有鬥志；主將不機智，將士心中就會產生疑懼；主將治軍不明察，軍隊就會傾倒而無所依仗；主將考慮問題不審詳，軍隊就會失去戰勝的時機；主將缺乏警惕，軍隊就會失去應有的警備；主將不堅強果敢，軍隊就會鬆懈怠情，玩忽職守。所以，主將是軍隊的主宰，主將嚴正，軍隊就會得到很好的治理；主將無能，軍隊就會混亂。得到了賢明能幹的主將，軍隊就會強大，國家就會昌盛；得不到賢明能幹的主將，軍隊就會衰弱，國家就會覆亡。」

武王說：「您說得真好啊！」

五音第二十八

【原文】武王問太公曰：「律音之聲，可以知三軍之消息，勝負之決乎？」

太公曰：「深哉！王之問也。夫律管十二，其要有五音——宮、商、角、徵、羽，此其正聲也，萬代不易。五行之神，道之常也。可以知敵。金、木、水、火、土，各以其勝攻之。

【譯文】武王問太公說：「通過十二律和五音，能夠判斷軍隊的盛衰強弱等情況，以及預知戰爭的勝負嗎？」

太公回答：「您所問的這個問題十分深奧啊！律管共有十二個音階，其中主要的音有五種——宮、商、角、徵、羽，這是符合音律的標準樂聲，永世不變。

五行所體現的微妙神機，是天地變化的普遍規律。憑藉這一規律可以預測敵情的變化。金、木、水、火、土，各以其相互生克取勝。

原文

「古者三皇之世，虛無之情以制剛強。無有文字，皆由五行。五行之道，天地自然。六甲之分，微妙之神。其法：以天清靜，無陰雲風雨，夜半，遣輕騎往至敵人之壘，去九百步外，遍持律管當耳，大呼驚之。有聲應管，其來甚微。角聲應管，當以白虎；徵聲應管，當以玄武；商聲應管，當以朱雀；羽聲應管，當以勾陳；五管聲盡不應者，宮也，當以青龍。此五行之符，佐勝之徵，成敗之機。」

武王曰：「善哉！」

太公曰：「微妙之音，皆有外候。」

武王曰：「何以知之？」

太公曰：「敵人驚動則聽之。聞枹鼓之音者，角也；見火光者，徵也；聞金鐵矛戟之音者，商也；聞人嘯呼之音者，羽也；寂寞無聞者，宮也。此五者，聲色之符也。」

譯文

「上古三皇之時，崇尚虛無無爲，以柔克剛。當時没有文字，一切都依據五行相生相剋行事。五行相互生克的規律，就是天地演變、自然變化的規律。六甲分合體現出最微妙的神機。通過律管的聲音來探測軍情的方法是：在天空清澈明淨，没有陰雲風雨時，於半夜派遣輕騎前往敵軍營壘，在距敵營九百步之外的地方，手拿十二支律管放在耳邊，向敵軍大聲呼喊以驚動他們。過一會兒，會有相應的聲音從某一律管中發出，這聲音十分微弱。如果律管中相應發出的是角聲，角聲屬木，金能克木，就應當根據白虎所代表的方位從西方攻打敵人；如果律管中相應發出的是徵聲，徵聲屬火，水能克火，就應當根據玄武所代表的方位從北邊攻打敵人；如果律管中相應發出的

是商聲，商聲屬金，火能克金，就應當根據朱雀所代表的方位從南邊進攻敵人；如果律管中相應發出的是羽聲，羽聲屬水，土能克水，就應當根據勾陳所代表的方位從中央攻打敵人；所有律管都沒有發出相應的聲音，這表示傳來的是宮聲，宮聲屬土，木能克土，應當根據青龍所代表的方位從東邊攻打敵人。所有這些就是五行生克的應驗，可以用來預測勝利的徵兆，是成功或失敗的關鍵。」

武王說：「太妙了！」

太公說：「這些從律管中發出的微妙的聲音，都有外在的徵候。」

武王問：「怎麼纔能知道呢？」

太公回答：「當敵人被驚動時就仔細傾聽。如果聽到鼓聲，這就是與角聲相應；如果見到火光，這是與徵聲相應；如果聽到金鐵矛戟等各種兵器聲，這是與商聲相應；如果聽到敵人的呼叫聲，這是與羽聲相應；如果寂靜無聲，這是與宮聲相應。這五種音律與外界的動靜是相符合的。」

兵徵第二十九

原文 武王問太公曰：「吾欲未戰先知敵人之強弱，預見勝負之徵，爲之柰何？」

太公曰：「勝負之徵，精神先見，明將察之，其敗在人。謹候敵人出入進退，察其動靜，言語妖祥，士卒所告。凡三軍說懌，士卒畏法，敬其將命。相喜以破敵，相陳以勇猛，相賢以威武，此強徵也。三軍數驚，士卒不齊，相恐以敵強，相語以不利，耳目相屬，妖言不止，衆口相惑，不畏法令，不重其將，此弱徵也。

譯文 武王問太公說：「我想在尚未交戰之前預先知道敵人的強弱，預見戰鬥勝負的徵兆，應該怎麼辦？」

太公答道：「勝敗的徵兆，在還沒有交戰之前，首先在兩軍的精神面貌上就有所表現，精明的將帥能夠覺察到這一點，但是能否利用這一點來打敗敵人，就體現在人的主觀努力上。應該周密地偵伺敵軍出入進退的情況，察看敵軍的動靜，並且要瞭解敵軍將士所談論的吉凶預兆和相互議論的事情。凡是全軍都心情愉悅，士卒畏懼並遵守法令，尊重將帥，服從將帥的命令。將士們相互以破敵爲喜，相互以勇猛爲榮耀，相互以威武爲賢能，這些都是軍隊強大的徵兆。如果全軍上下屢次受到驚動，士兵散亂行列不整，彼此都因敵人的強悍而恐懼，相互傳播作戰不利的消息，互相打聽消息，議論紛紛，互相鼓動煽惑，不畏懼法令，不尊重將帥，這些都是軍隊虛弱的徵兆。

原文

「三軍齊整，陳勢已固，深溝高壘，又有大風甚雨之利，三軍無故，旌旗前指，金鐸之聲揚以清，鼙鼓之聲宛以鳴，此得神明之助，大勝之徵也。行陳不固，旌旗亂而相繞，逆大風甚雨之利，士卒恐懼，氣絕而不屬，戎馬驚奔，兵車折軸，金鐸之聲下以濁，鼙鼓之聲濕如沐，此大敗之徵也。

譯文

「全軍隊列整齊，陣勢堅固，深挖壕溝，高築壁壘，又憑藉大風驟雨的有利氣候條件，三軍不待命令而旌旗飄揚指向前方，金鐸的聲音高昂清亮，鼙鼓的聲音婉轉而嘹亮，這些是軍隊得到神明幫助，一定會獲得大勝的徵兆。行陣不穩固，旌旗雜亂方向不明，在大風驟雨中處於逆風的不利位置，士卒恐懼驚駭，士氣衰竭而渙散，軍馬受驚狂奔，戰車軸木折斷，金鐸的聲音低沈而混濁，鼙鼓的聲音沈悶而壓抑，這些是軍隊大敗的徵兆。

原文

「凡攻城圍邑：城之氣色如死灰，城可屠；城之氣出而北，城可克；城之氣出而西，城必降；城之氣出而南，城不可拔；城之氣出而東，城不可攻；城之氣出而復入，城主逃北；城之氣出而覆我軍之上，軍必病；城之氣出高而無所止，用兵

大凡攻人之城，圍人之邑，城之氣色如死灰之狀，其城必可以屠；城之氣若出而北，其城必可以克；城之氣若出而西，其城必可以降；北與西屬陰，陰主殺，故其城可降而克也。城之氣出而南，其城必不可拔；城之氣出而東，其城必不可攻；南與東屬陽，陽主生，故不可攻而拔也。

長久。凡攻城圍邑，過旬不雷不雨，必亟去之，城必有大輔。此所以知可攻而攻，不可攻而止。」

武王曰：「善哉！」

譯文 「通常包圍、進攻城邑的原則有：如果城中的雲氣是灰白色的，那麼該城可以被毀滅，如果城中的雲氣出城而向北流動，那麼該城可以被攻剋；如果城中的雲氣出城而向西流動，那麼該城即將向我軍投降；如果城中的雲氣出城而向南流動，那麼該城就堅不可拔；如果城中的雲氣出城而向東流動，那麼不能輕易進攻該城；如果城中的雲氣出城之後又入城，那麼該城的主將一定會出逃；如果城中的雲氣出城並覆蓋我軍，那麼我軍一定會遭到不利；如果城中的雲氣高昇而不停止，那麼戰事將曠日持久。凡是圍攻敵人的城邑，如果過了十天仍不打雷下雨，一定要立即撤兵離去，因爲城中一定有才能卓越的輔佐之人。瞭解這些，就知道可攻就攻，不可攻就停止的道理了。」

武王說：「您說得真好啊！」

農器第三十

原文 武王問太公曰：「天下安定，國家無事，戰攻之具，可無修乎？守禦之備，可無設乎？」

太公曰：「戰攻守禦之具，盡在於人事。耒耜者，其行馬蒺藜也。馬、牛、車、輿者，其營壘蔽櫓也。鋤耰之具，其矛戟也。蓑薛簦笠者，其甲冑干楯也。钁、鍤、斧、鋸、杵、臼，其攻城器也。牛馬，所以轉輸糧用也。鷄犬，其伺候也。婦人織紝，其旌旗也。丈夫平壤，其攻城也。春鏺草棘，其戰車騎也。夏耨田疇，其戰步兵也。秋刈禾薪，其糧食儲備也。冬實倉廩，其堅守也。田里相伍，其約束符信也。里有吏，官有長，其將帥也。里有周垣，不得相過，其隊分也。輸粟收芻，其廩庫也。

龙韬

农器第三十

【原文】

武王问太公曰："天下安定，国家无事，战攻之具，可无修乎？守御之备，可无设乎？"

太公曰："战攻守御之具，尽在于人事。耒耜者，其行马蒺藜也。马牛车舆者，其营垒蔽橹也。锄耰之具，其矛戟也。蓑薜簦笠者，其甲胄干楯也。钁锸斧锯杵臼，其攻城器也。牛马，所以转输粮用也。鸡犬，其伺候也。妇人织纴，其旌旗也。丈夫平壤，其攻城也。春钁草棘，其战车骑也。夏耨田畴，其战步兵也。秋刈禾薪，其粮食储备也。冬实仓廪，其坚守也。田里相伍，其约束符信也。里有吏，官有长，其将帅也。里有周垣，不得相过，其队分也。输粟收刍，其廪库也。春秋治城郭，修沟渠，其堑垒也。"

武王曰："善哉。"

春秋治城郭，修溝渠，其塹壘也。

譯文 武王問太公說：「天下安定，國家沒有戰事，用於野戰、攻城的器械，可以不去置備嗎？用於防守禦敵的設施，可以不去設置嗎？」

太公回答：「戰時用於攻戰守禦的器械，實際上全在百姓日常生產和生活中。耕地用的耒耜，可以用作拒馬、蒺藜等障礙器材。各種馬車和牛車，可以用作營壘和藏身的蔽櫓。鋤耰等農具，可以用作戰鬥的矛戟。蓑衣、雨傘和斗笠，可以用作戰鬥的盔甲和盾牌。钁、鍤、斧、鋸、杵、臼，可以用作攻城器械。牛馬，可以用來運輸軍糧。雞狗，可以用來窺伺。婦女紡織的布帛，可以用來做戰旗。男子平整土地，就相當於攻城。春季割草除棘，就相當於同敵軍的戰車騎兵作戰。夏季耘田鋤草，就相當於同敵步兵作戰。秋季收割莊稼柴草，就相當於備戰糧秣。冬季糧食堆滿倉庫，就相當於爲戰時的長期堅守做準備。同村同里的人相編爲伍，就相當於戰時軍隊編組和管理。里設長吏，

官府有長，就相當於充任軍隊的軍官。里之間修築圍牆，不得踰越，就相當於軍隊的駐地區分。運輸糧食，收取飼料，就相當於軍隊的後勤儲備。春秋兩季修築城郭，疏浚溝渠，就相當於修治壁壘、溝壕。

原文 「故用兵之具，盡在於人事也。善爲國者，取於人事。故必使遂其六畜，辟其田野，安其處所。丈夫治田有畝數，婦人織紝有尺度，是富國強兵之道也。」

武王曰：「善哉！」

譯文 「所以作戰的器械，全都在於平時的生產和生活之中。善於治理國家的人，都取法並利用平時的生產和生活。所以必須使百姓大力繁殖六畜，開墾土地，安定住所，男子種田達到一定的畝數，婦女紡織完成一定的尺數，這就是富國強兵的方法。」

武王說：「您說得真好啊！」

軍用第三十一

原文 武王問太公曰：「王者舉兵，三軍器用，攻守之具，科品衆寡，豈有法乎？」

太公曰：「大哉，王之問也！夫攻守之具，各有科品，此兵之大威也。」

譯文 武王問太公說：「有志於成就王業的國君興兵作戰，軍隊的武器裝備和攻守器械，它們的種類和數量的多少，難道有一定的標準嗎？」

太公回答：「您問的這個問題的確是一個大問題啊！攻守的器械，各有不同的種類和數量，這是關係到軍隊威力強弱的大問題。」

原文 武王曰：「願聞之。」

太公曰：「凡用兵之大數，將甲士萬人，法用：武衝大扶

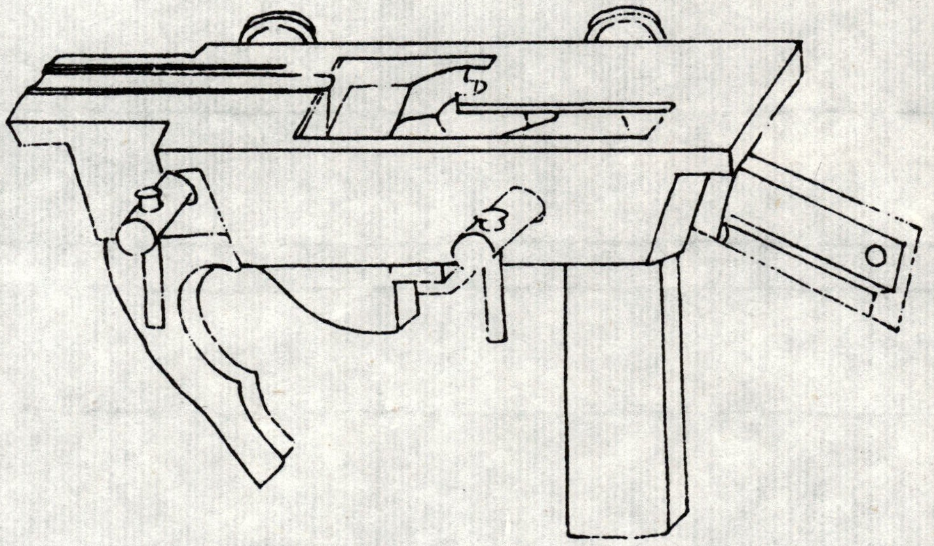

漢弩機

弩機是我國古代重要的武器，是遠程射殺性武器，是中國古代工程技術的發明之一。

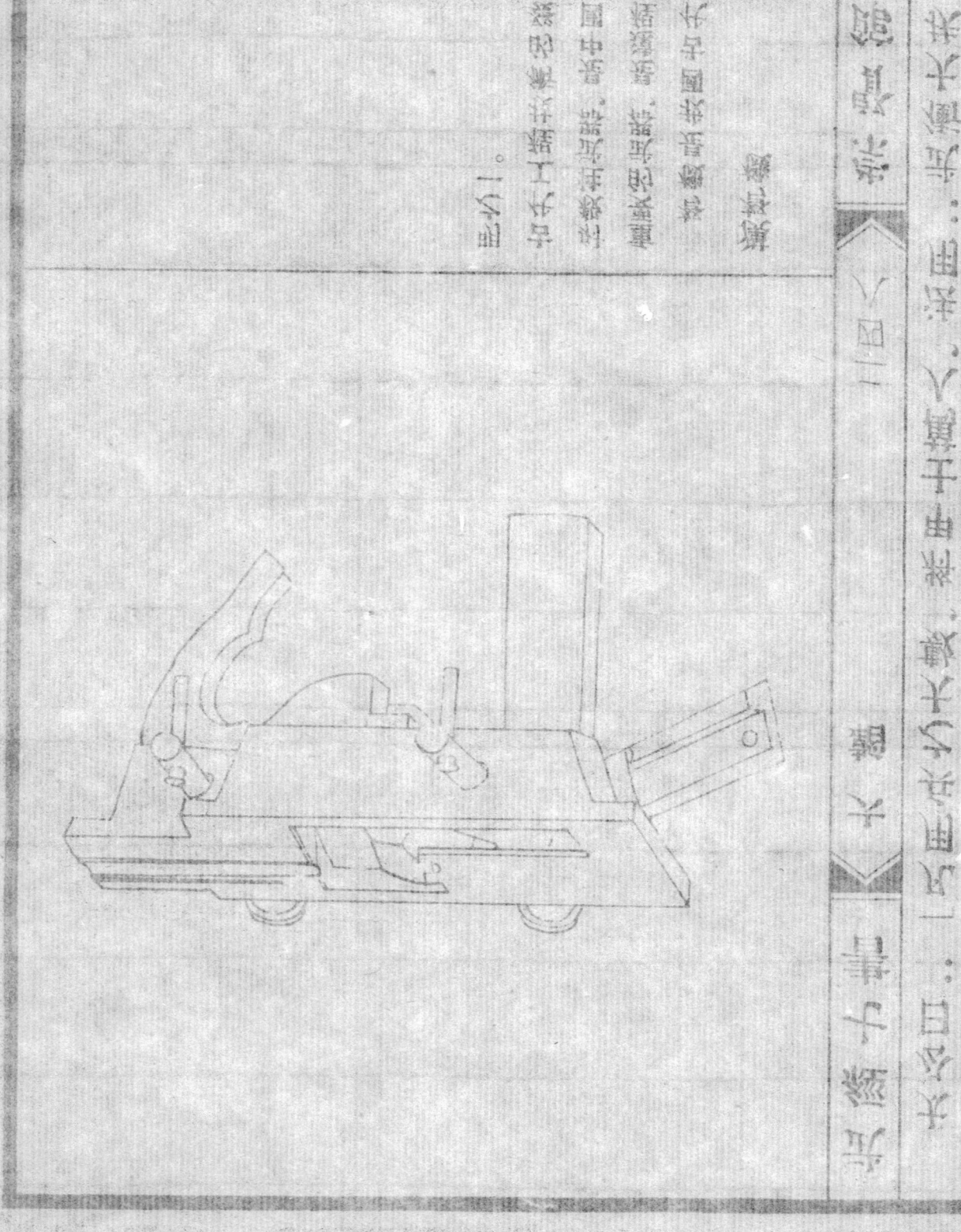

(Image is rotated 180°; content is too faded/low-resolution to reliably transcribe.)

胥三十六乘。材士強弩矛戟爲翼，一車二十四人推之，以八尺車輪，車上立旗鼓。兵法謂之震駭，陷堅陳，敗強敵。

譯文　武王說：「我想聽聽詳細內容。」

太公回答：「凡是用兵作戰，武器裝備有個大概的數目，統率甲士萬人，所需武器裝備是：武衛大扶胥三十六輛。由勇猛而武藝高強的戰士使用強弩、矛、戟在兩旁護衛，每車二十四人推行，車輪的高度爲八尺，車上豎旗立鼓。兵法上把這種戰車稱爲震駭，可以用來攻破堅陣，擊敗強敵。

原文　「武翼大櫓矛戟扶胥七十二具。材士強弩矛戟爲翼，以五尺車輪，絞車連弩自副，陷堅陳，敗強敵。

譯文　「武翼大櫓矛戟扶胥七十二輛。由勇猛而武藝高強的戰士使用強弩、矛、戟在兩旁護衛，車輪高五尺，車上設有用絞車發射的連弩作爲輔助裝備，可以用來攻破堅陣，擊敗強敵。

原文　「提翼小櫓扶胥一百四十四具。絞車連弩自副，以鹿車輪，陷堅陳，敗強敵。

譯文　「提翼小櫓扶胥一百四十四輛。車上設有用絞車發射的連弩作爲輔助裝備，這種車車輪較小，與鹿車相同，可以用來攻破堅陣，擊敗強敵。

原文　「大黃參連弩大扶胥三十六乘。材士強弩矛戟爲翼，飛鳧、電影自副。飛鳧，赤莖白羽，以銅爲首；電影，青莖赤羽，以鐵爲首。晝則以絳縞，長六尺，廣六寸，爲光耀；夜則以白縞，長六尺，廣六寸，爲流星。陷堅陳，敗步騎。

譯文　「大黃參連弩大扶胥三十六輛。由勇猛而武藝高強的戰士使用強弩、矛、戟在兩旁護衛，車上設有飛鳧和電影作爲輔助裝備。所謂飛鳧，是一種紅杆白羽的箭，箭頭用銅製造；所謂電影，是一種青杆紅羽的箭，箭頭用鐵製造。白天車上飄揚著用深紅色的絹製作的旗子，長六尺，寬六寸，名叫光

輜車騎寇，疑有誤字。電車，言其忽往忽來，如電之疾也。故兵法謂之電擊。

耀；夜間車上飄揚著用白色的絹製作的旗子，長六尺，寬六寸，名叫流星。這種戰車可以用來攻破堅陣，擊敗敵人的步兵和騎兵。

原文 「大扶胥衝車三十六乘。螳螂武士共載，可以擊縱橫，可以敗敵。」

譯文 「大扶胥衝車三十六輛。車上載乘螳螂武士，可以用來縱橫沖擊，擊敗強敵。

原文 「輜車騎寇，一名電車，兵法謂之電擊。陷堅陳，敗步騎。」

譯文 「輜車騎寇，也叫電車，兵法上稱爲電擊。可以用來攻破堅陣，擊敗敵人的步兵和騎兵。

原文 「寇夜來前，矛戟扶胥輕車一百六十乘。螳螂武士三人共載，兵法謂之霆擊。陷堅陳，敗步騎。」

譯文 「敵人趁黑夜前來突襲，宜用矛戟扶胥輕車一百六十輛。每車上載乘螳螂武士三人，兵法上稱爲霆擊。可以用來攻破堅陣，擊敗敵人的步兵和騎兵。

原文 「方首鐵棓維肦，重十二斤，柄長五尺以上，千二百枚，一名天棓。大柯斧，刃長八寸，重八斤，柄長五尺以上，千二百枚，一名天鉞。方首鐵鎚，重八斤，柄長五尺以上，千二百枚，一名天鎚。敗步騎群寇。」

譯文 「方首鐵棓維肦，重十二斤，柄長五尺以上，共置一千二百根，這種武器又稱天棓。大柯斧，刃長八寸，重八斤，柄長五尺以上，共置一千二百把，這種武器又稱天鉞。方首鐵鎚，重八斤，柄長五尺以上，共置一千二百把，這種武器又稱天鎚。這些武器都可以用來擊敗敵人的步兵和騎兵。

原文 「飛鈎長八寸，鈎芒長四寸，柄長六尺以上，千二百枚，耀，夜間車上懸掛著用白色布做成的旗子，長六尺，寬六寸，名字叫流星。這種戰車可以用來攻破堅陣，擊敗敵人的步兵和騎兵。

「大扶胥衝車三十六乘。螳螂武士共載，可以擊縱橫，可以敗敵。」

「大扶胥衝車」三十六輛。車上載著螳螂武士，可以用來縱橫攻擊，擊敗強敵。

「輜車騎寇，一名電車。兵法謂之電擊。陷堅陳，敗步騎。」

「輜車騎寇」戰車，一名電車，兵法上稱為電擊。可以用來攻破堅陣，擊敗敵人的步兵和騎兵。

「寇夜來前，矛戟扶胥輕車一百六十乘。螳螂武士三人共載。兵法謂之霆擊。陷堅陳，敗步騎。」

敵人夜間來襲，宜用矛戟扶胥輕車一百六十輛，每車上載螳螂武士三人，兵法上稱為霆擊。可以用來攻破堅陣，擊敗敵人的步兵和騎兵。

「方首鐵棓維朌，重十二斤，柄長五尺以上，千二百枚。一名天棓。大柯斧，刃長八寸，重八斤，柄長五尺以上，千二百枚。一名天鉞。方首鐵鎚，重八斤，柄長五尺以上，千二百枚。一名天鎚。敗步騎群寇。」

「方首鐵棓維朌」重十二斤，柄長五尺以上，共置一千二百根，這種武器又稱天棓。大柯斧，刃長八寸，重八斤，柄長五尺以上，共置一千二百把。這種武器又稱天鉞。方首鐵鎚，重八斤，柄長五尺以上，共置一千二百把，這種武器又稱天鎚。這些武器可以用來擊敗敵人的步兵和騎兵。

「飛鉤長八寸，鉤芒長四寸，柄長六尺以上，千二百枚。

以投其衆。

【譯文】「飛鉤，長八寸，鉤的鋒芒長四寸，柄長六尺以上，共置一千二百枚，可以用來投擲鉤傷敵軍。

【原文】「三軍拒守，木螳螂劍刃扶胥，廣二丈，百二十具，一名行馬。平易地，以步兵敗車騎。

【譯文】「軍隊防守時，應使用木螳螂劍刃扶胥，寬兩丈，共置一百二十具，這種兵車又稱行馬。在平坦開闊的地形上使用，步兵可以用它來擊敗敵軍的車兵和騎兵。

【原文】「木蒺藜，去地二尺五寸，百二十具。敗步騎，要窮寇，遮走北。」

【譯文】「木蒺藜，設置時要離地面二尺五寸，共置一百二十具。可以用來擊敗敵軍的步兵和騎兵，攔截勢窮力竭的敵人，截堵潰敗逃跑的敵人。

【原文】「軸旋短衝矛戟扶胥，百二十具，黄帝所以敗蚩尤氏。敗步騎，要窮寇，遮走北。

【譯文】「軸旋短衝矛戟扶胥一百二十輛，黄帝曾使用這種兵車打敗蚩尤。可以用來擊敗敵人的步兵和騎兵，攔截勢窮力竭的敵人，截堵潰敗逃跑的敵人。

【原文】「狹路微徑，張鐵蒺藜，芒高四寸，廣八寸，長六尺以上，千二百具。敗步騎。

【譯文】「在隘道、小路上，佈設鐵蒺藜，鐵蒺藜刺高四寸，寬八寸，長六尺以上，共置一千二百具。可以用來擊敗敵軍的步兵和騎兵。

【原文】「突暝來前促戰，白刃接，張地羅，鋪兩鏃蒺藜，參連織女，芒間相去二寸，萬二千具。曠野草中，方胸鋋矛，千二百具。張鋋矛法：高一尺五寸。敗步騎，要窮寇，遮走北。

譯文　「敵人乘著黑夜來突襲，白刃相接，這時應張設地網，佈置兩鏃蒺藜和參連織女，尖刺之間相隔二寸，共置一萬二千個。在曠野深草地帶作戰，應設置齊胸的小矛，共置一千二百柄。佈設小矛的方法是：使它高出地面一尺五寸。可以用這些武器來擊敗敵軍的步兵和騎兵，攔截勢窮力竭的敵人，截堵潰敗逃跑的敵人。

原文　**「狹路、微徑、地陷，鐵械鎖參連，百二十具。敗步騎，要窮寇，遮走北。**

譯文　「在隘道、小路和低窪的地形上，可以張設相連的鐵鎖鏈，共置一百二十具。可以用來擊敗敵軍的步兵和騎兵，攔截勢窮力竭的敵人，截堵潰敗逃跑的敵人。

原文　**「壘門拒守，矛戟小櫓，十二具，絞車連弩自副。**

譯文　「守衛營門，用矛戟小櫓十二輛，車上設有絞車、連弩作爲輔助裝備。

原文　**「三軍拒守，天羅虎落鎖連一部，廣一丈五尺，高八尺，百二十具。虎落劍刃扶胥，廣一丈五尺，高八尺，五百二十具。**

譯文　「軍隊進行守禦時，應設置的是天羅虎落鎖連，寬一丈五尺，高八尺，需置一百二十具。並設置虎落劍刃扶胥，寬一丈五尺，高八尺，需置五百二十輛。

原文　**「渡溝塹飛橋，一間廣一丈五尺，長二丈以上，著轉關轆轤，八具，以環利通索張之。**

譯文　「渡越溝塹，要設置飛橋，飛橋寬爲一丈五尺，長兩丈以上，飛橋上裝備轉關轆轤，需置八架，用鐵環和長繩架設。

原文　**「渡大水飛江，廣一丈五尺，長二丈以上，八具，以環利通索張之。天浮鐵螳螂矩內圓，外徑四尺以上，環絡自副，**

[Image appears rotated/illegible for accurate OCR transcription]

三十二具。以天浮張飛江，濟大海，謂之天潢，一名天舡。

譯文 「橫渡江河使用飛江，飛江寬一丈五尺，長兩丈以上，共需八架，用鐵環和長繩把它們連接在一起。天浮鐵螳螂，內呈圓形，外徑四尺以上，並用鐵環和繩索連接，共需三十二具。用天浮架設飛江，可以橫渡大河，這種渡河工具稱爲天潢，也叫天舡。

原文 「山林野居，結虎落柴營，環利鐵鎖，長二丈以上，千二百枚。環利大通索，大四寸，長四丈以上，六百枚。環利中通索，大二寸，長四丈以上，二百枚。環利小徽縲，長二丈以上，萬二千枚。

譯文 「軍隊在山林野外宿營，應用木材結成繞有竹籬的虎落營寨，用鐵環長繩鎖連，每條長兩丈以上，共需一千二百條。帶鐵環的大繩索，鐵環粗四寸，繩長四丈以上，共需六百條。帶鐵環的中等繩索，鐵環粗兩寸，繩長四丈以上，共需二百條。帶鐵環的小號繩索，每條長兩丈以上，共需一萬二千條。

原文 「天雨蓋重車上板，結枲鉏鋙，廣四尺，長四丈以上，車一具，以鐵杙張之。

譯文 「天下雨時，輜重車要蓋上車頂板，板上刻有齒槽，並使齒槽與車子吻合，每副木板寬四尺，長四丈以上。每輛車配置一付，並用鐵杙加以固定。

原文 「伐木大斧，重八斤，柄長三尺以上，三百枚；棨钁刃廣六寸，柄長五尺以上，三百枚；銅築固爲垂，長五尺以上，三百枚；鷹爪方胸鐵杷，柄長七尺以上，三百枚；方胸鐵叉，柄長七尺以上，三百枚；方胸兩枝鐵叉，柄長七尺以上，三百枚。

譯文 「砍伐樹木用的大斧，重八斤，柄長三尺以上，共三百把；棨钁，刃三百枚。

又，方首铁椎柄□大柄，重八斤，柄长五尺以上，共三百枚，名黜。

三百枚。

大柯斧，刃长八寸，柄长五尺以上，三百枚；其刃长六尺以上，□二百□时，□□。

卖八寸，柄长正尺以上，三百枚，一名天□。

固家。

□兵会，□□木□□四只，重四尺以上，□□□。

□矢不□□，□□费四只，柄长五尺以上，以投其众。

车一具，以□聚之。

《六韬》 〔一四三〕 崇文书局

□天蒂董车土□，枯桑□□，高四只，长四文以上。

□天□董车土□，□□□二十四百斤，□身四文以上，共□二十四百斤，□身四文

□身鞭□□，□□身□大以上，共□二十□百斤，□身四

一军具本山林□□□，□用木林□□□□□□□□，民□

士，□□二十□。

费索，大二寸，长四文以上，□□小□□，其二文以

十二百□，□□大□□，大四寸，长四文以上，六百□，□□中

一山林□□，□□□□□，□□□，其二文以上，

工具□□□□，□用天□□□□□□□，□□□□，□□□，

□□□□□□，共□三十□具，□□天□。

三十二具，以天□□□□，□大□，□十天□。

修治，欲其常完也；砥礪，欲其常銳；允者，信其言也。

寬六寸，柄長五尺以上，共三百把；銅築固大鎚，長五尺以上，共三百把；鷹爪方胸鐵耙，柄長七尺以上，共三百把；方胸鐵叉，柄長七尺以上，共三百把；方胸兩枝鐵叉，柄長七尺以上，共三百把。

原文 「芟草木大鐮，柄長七尺以上，三百枚；大櫓刀，重八斤，柄長六尺，三百枚；委環鐵杙，長三尺以上，三百枚；椓杙大鎚，重五斤，柄長二尺以上，百二十具。

譯文 「剪除草木用的大鐮，柄長七尺以上，共三百把；大砍刀，重八斤，柄長六尺，共三百把；帶環的鐵橛，長三尺以上，共三百個；捶橛用的大鐵鎚，重五斤，柄長二尺以上，共一百二十把。

原文 「甲士萬人，強弩六千，戟楯二千，矛楯二千，修治攻具，砥礪兵器巧手三百人，此舉兵軍用之大數也。」

武王曰：「允哉！」

譯文 「軍隊萬人，需要裝備強弩六千張，戟和大盾兩千套，矛和小盾兩千套，以及修理作戰器具和磨礪兵器的能工巧匠共三百人，以上就是興兵作戰所需要的裝備器材的大致數目。」

武王說：「您講得真對啊！」

三陣第三十二

原文 武王問太公曰：「凡用兵爲天陳、地陳、人陳，奈何？」

太公曰：「日月、星辰、斗杓，一左一右，一向一背，此謂天陳；丘陵、水泉，亦有前後左右之利，此謂地陳；用車用馬，用文用武，此謂人陳。」

武王曰：「善哉！」

譯文 武王問太公說：「用兵作戰時，有所謂天陣、地陣和人陣，應該怎麼理解呢？」

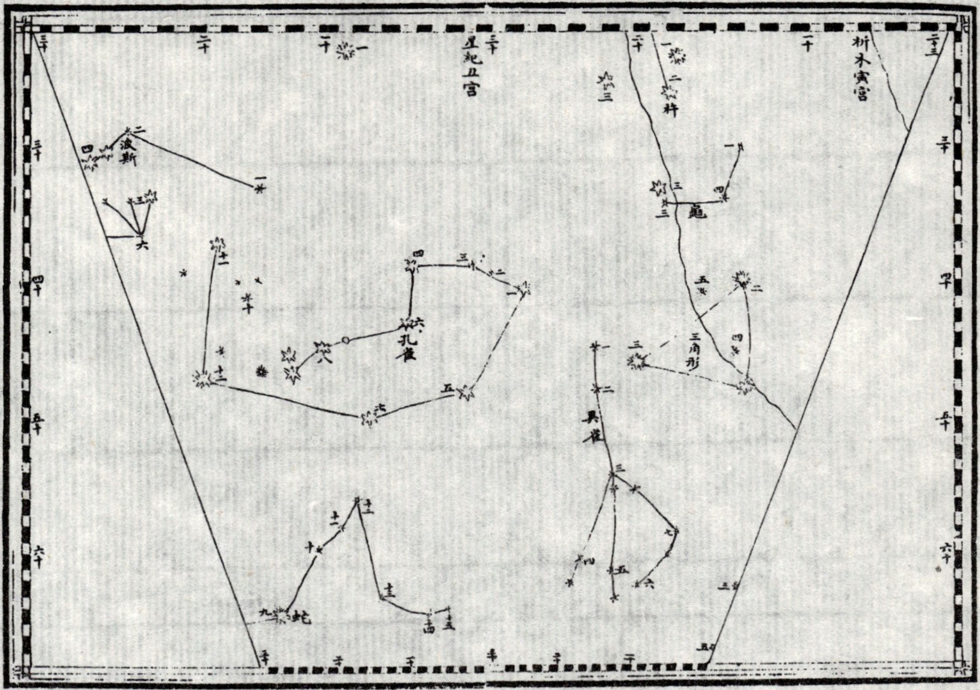

天象圖　天陣是根據日月星辰斗杓等天象位置來佈陣的。

太公回答說：「根據日月、星辰、北斗星在我軍前後左右的具體位置來擺開陣勢，就是所謂的天陣；利用丘陵、水澤等地形條件來擺開陣勢，就是所謂的地陣；根據所使用的戰車、騎兵等兵種和政治誘降或武力攻取等人事力量來擺開陣勢，就是所謂的人陣。」

武王說：「您說得真好！」

疾戰第三十三

原文

武王問太公曰：「敵人圍我，斷我前後，絕我糧道，爲之奈何？」

太公曰：「此天下之困兵也，暴用之則勝，徐用之則敗。如此者，爲四武衝陳，以武車驍騎，驚亂其軍，而疾擊之，可以横行。」

譯文

武王問太公說：「如果敵軍包圍了我軍，截斷我軍前後的通路，斷太公回答說：「根據日月、星辰、北斗星在我軍的左右前後的具體位置來確定陣勢，就是所謂的天陣；利用丘陵、水源等地形條件來部署陣勢，就是所謂的地陣；根據所使用的戰車、騎兵等兵種和政治謀略等手段來決定攻入敵方量來擺開陣勢，就是所謂的人陣。」

武王說：「說得真好啊！」

疾戰第三十三

武王問太公曰：「敵人圍我，斷我前後，絕我糧道，為之奈何？」

太公曰：「此天下之困兵也。暴用之則勝，徐用之則敗。如此者，為四武衝陣，以武車驍騎，驚亂其軍，而疾擊之，可以橫行。」

武王問太公說：「如果敵軍包圍了我軍，截斷我軍前後的通路，斷

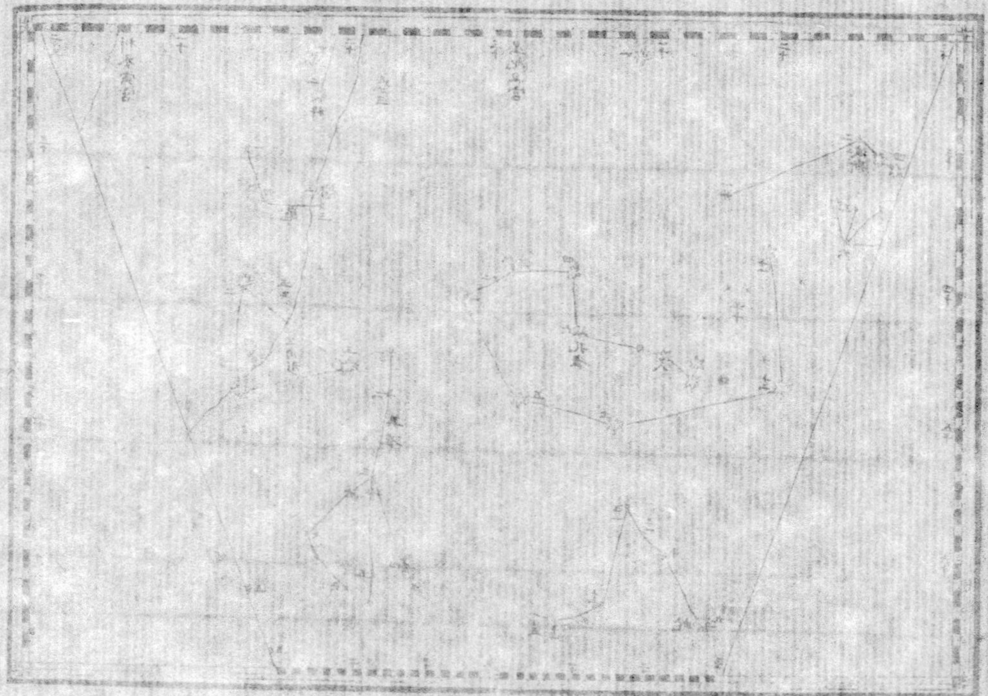

天象圖

天陣是根據日月星辰斗杓等天象位置來布陣的。

絕我軍的糧道，在這種情況下應該怎麼辦呢？」

太公回答：「這就是所謂處於極端艱難困窘的境地的軍隊，在這種情況下，迅速勇猛地突圍就能勝利，行動緩慢遲疑就會失敗。在這種情況下，把軍隊佈成四面都有戰車警戒的陣形，使用強大的戰車和驍勇的騎兵，來驚動擾亂敵軍，乘其陷入混亂，迅速突擊，這樣就可以橫行無阻地突圍出去了。」

原文 武王曰：「若已出圍地，欲因以爲勝，爲之奈何？」

太公曰：「左軍疾左，右軍疾右，無與敵人爭道；中軍迭前迭後。敵人雖衆，其將可走。」

譯文 武王問：「如果我軍已成功地突出重圍，想要乘勢戰勝敵軍，又該怎麼辦呢？」

太公回答：「應該讓左軍迅速攻擊敵軍左翼，讓右軍迅速攻擊敵軍右翼，不要和敵人爭奪道路；同時以我中軍輪番支援左軍和右軍，或擊其前，或抄其後。這樣，敵軍雖然人數衆多，也能將其打敗。」

必出第三十四

原文 武王問太公曰：「引兵深入諸侯之地，敵人四合而圍我，斷我歸道，絕我糧食。敵人既衆，糧食甚多，險阻又固，我欲必出，爲之奈何？」

太公曰：「必出之道，器械爲寶，勇鬥爲首。審知敵人空虛之地，無人之處，可以必出。將士人持玄旗，操器械，設銜枚，夜出。勇力、飛足、冒將之士居前，平壘爲軍開道。材士、強弩爲伏兵居後，弱卒車騎居中。陳畢徐行，慎無驚駭。以武衝扶胥前後拒守，武翼大櫓以備左右。敵人若驚，勇力、冒將之士疾擊而前，弱卒車騎以屬其後，材士強弩隱伏而處。審候敵人追我，伏兵疾擊其後，多其火鼓，若從地出，若從天下，三

軍勇鬥，莫我能禦。」

譯文 武王問太公說：「率領軍隊深入敵國境內，敵人從四面包圍我軍，阻斷我軍的退路，截斷我軍的糧道。敵軍人數衆多，糧食充足，並佔領了險要地形，守禦堅固，我想成功突圍，應該怎麼辦呢？」

太公回答：「成功突圍的方法，關鍵在於兵器裝備，而又以能奮勇戰鬥爲最重要。仔細查明敵人守備空虛，沒有設防的地點，乘虛而擊，就可以成功地突圍而出。突圍時將士們都持黑色的旗幟和器械，口中銜枚，在夜間展開行動。選擇勇敢有力、行動輕捷、敢於冒險犯難的將士在前面擔任先鋒，攻佔敵人的營壘，爲全軍開道。選擇有技能而勇敢的武士帶著強弩，充當伏兵，隱匿在軍隊的後部；讓弱卒、車兵和騎兵在中間行進。陣形部署完畢後，緩慢地開始行動，小心從事，不要驚慌。把武衝扶胥放在軍隊的前面和後面進行護衛，用武翼大櫓在左右掩護。如果敵軍被驚動，我軍不能繼續隱蔽行動，就派

遣軍隊中作爲先鋒部隊的勇敢有力、行動輕捷、敢於冒險犯難的將士迅速發起衝擊，向前推進，弱卒、車兵和騎兵隨之跟進，有技能而配備有強弩的武士則隱蔽地埋伏起來，確切地偵察到敵軍前來追擊我軍時，伏兵就迅速地從後面攻擊，並大量使用火把和戰鼓，造成我軍彷彿是從地下冒出，從天上降下的假象，這時全軍奮勇戰鬥，敵軍就不能阻止我軍的突圍了。」

原文 武王曰：「前有大水、廣塹、深坑，我欲踰渡，無舟楫之備。敵人屯壘，限我軍前，塞我歸道，斥候常戒，險塞盡中，車騎要我前，勇士擊我後，爲之奈何？」

太公曰：「大水、廣塹、深坑，敵人所不守，或能守之，其卒必寡。若此者，以飛江、轉關與天潢以濟吾軍。勇力材士從我所指，衝敵絕陳，皆致其死。先燔吾輜重，燒吾糧食，明告吏士，勇鬥則生，不勇則死。已出者，令我踵軍設雲火遠候，

必依草木、丘墓、險阻，敵人車騎必不敢遠追長驅。因以火爲記，先出者令至火而止，爲四武衝陣。如此，則吾三軍皆精銳勇鬥，莫我能止。」

武王曰：「善哉！」

譯文　武王問：「如果我軍突圍的前方有大河、寬塹、深坑等障礙，我軍要越過這些障礙，但是又沒有準備船隻。敵軍屯兵築壘，阻止我軍前進，截斷我軍的退路，其哨兵又戒備不懈，險要的地形全被敵軍佔領，敵軍的戰車、騎兵在前面攔截，勇士在後面攻擊，在這種情況下，應該怎麼辦呢？」

太公回答：「大凡大河、寬塹、深溝這些地方，往往是敵人不會設防的地方，即使設防，人數也一定很少。這樣，就可以利用飛江、轉關和天潢等工具將我軍渡過去。派遣勇猛的武士按照指定的方向，直衝敵陣，拚死戰鬥。先燒毀我軍的輜重，燒掉我軍的糧草，明確地向全軍將士宣告，勇猛作戰就能活

下來，畏縮怯戰必死無疑。突出重圍之後，命令我軍的後續部隊設置大火堆，派出斥候在遠方警戒，佔領叢林、墳墓和險阻地形，這樣一來，敵軍的戰車和騎兵就一定不敢長驅遠追。設置大火堆的目的，是以其爲信號指示先期突圍的部隊到有火的地方集結，並擺成四面都有警戒的四武衝陣。這樣，我軍的將士全都精銳敢鬥，敵軍就不能阻止我軍了。」

武王說：「您說得真好！」

軍略第三十五

原文　武王問太公曰：「引兵深入諸侯之地，遇深溪、大谷、險阻之水，吾三軍未得畢濟，而天暴雨，流水大至，後不得屬於前，無有舟梁之備，又無水草之資，吾欲必濟，使三軍不稽留，爲之奈何？」

譯文　武王問太公說：「率領軍隊深入敵國境內，遇到深溪、大谷和難以

晝則登雲梯遠望，立五色旌旗，以變敵人之目；遇夜則設雲火萬炬，擊雷鼓、振鼙鐸、吹鳴笳，以變敵人之耳；即孫子晝戰多旌旗、夜戰多火鼓之意。

渡過的河流，我軍尚未全部渡過，忽然下起了暴雨，洪水大量湧來，水位大漲，軍隊被阻斷，後面的軍隊與前面的軍隊不相連接，既沒有船隻、橋梁，又沒有堵水用的草捆，在這種情況下，我想要使全軍渡過而不至滯留太久，應當怎麼辦呢？」

原文 太公曰：「凡帥師將衆，慮不先設，器械不備，教不素信，士卒不習，若此，不可以爲王者之兵也。凡三軍有大事，莫不習用器械。攻城圍邑，則有轒轀、臨衝；視城中，則有雲梯、飛樓；三軍行止，則有武衝、大櫓，前後拒守；絕道遮街，則有材士強弩，衛其兩傍；設營壘，則有天羅、武落、行馬、蒺藜。晝則登雲梯遠望，立五色旌旗；夜則設雲火萬炬，擊雷鼓，振鼙鐸，吹鳴笳；越溝塹，則有飛橋、轉關、轆轤、鉏鋙；濟大水，則有天潢、飛江；逆波上流，則有浮海、絕江。三軍用備，主將何憂！」

譯文 太公回答：「大凡將帥率領軍隊作戰，如果事先不對可能出現的困難謀慮，不事先準備好器械，對士卒的平時訓練不加以落實，以致士卒技術不熟練，像這樣，就不能算是王者的軍隊。凡是軍隊遇到軍事行動，沒有不訓練士卒熟練使用各種器械的。如果圍攻敵人的城邑，就用轒轀、臨車和衝車等攻城戰車；如果觀察城內的敵情，就使用雲梯和飛樓；軍隊前進和駐紮，就使用武衝、大櫓等戰車在前後掩護，以防不測；斷絕大路，遮隔街道，就讓勇敢而有技術的士卒使用強弩控制兩側；設置營壘，就在周圍佈下天羅、武落、行馬、蒺藜等防禦器材。白天就登上云梯觀望遠方，按方位豎起五色旌旗報告敵情；夜間就點燃大火堆和成千上萬的火把，擊響雷鼓，敲動鼙鼓，搖動大鐸，吹響鳴笳；越溝塹，就用飛橋、轉關、轆轤、鉏鋙等器械；渡大河，就用天潢、飛江；逆流而行，就用浮海、絕江。全軍所需的這些器材都已齊備，太公曰：「凡帥師將眾，慮不先設，器械不備，教不素信，士卒不習，若此，不可以為王者之兵也。凡三軍有大事，莫不習用器械。攻城圍邑，則有轒轀、臨衝；視城中，則有雲梯、飛樓；三軍行止，則有武衝、大櫓，前後拒守；絕道遮街，則有材士強弩，衛其兩旁；設營壘，則有天羅、武落、行馬、蒺藜；晝則登雲梯遠望，立五色旌旗；夜則設雲火萬炬，擊雷鼓，振鼙鐸，吹鳴笳；越溝塹，則有飛橋、轉關、轆轤、鉏鋙；濟大水，則有天潢、飛江；逆波上流，則有浮海、絕江。三軍用備，主將何憂！」

主將又有什麼可擔憂啊！」

臨境第三十六

原文　武王問太公曰：「吾與敵人臨境相拒，彼可以來，我可以往，陳皆堅固，莫敢先舉。我欲往而襲之，彼亦可來，爲之奈何？」

太公曰：「分兵三處：令我前軍，深溝增壘而無出，列旌旗，擊鼙鼓，完爲守備；令我後軍，多積糧食，無使敵人知我意；發我鋭士，潛襲其中，擊其不意，攻其無備。敵人不知我情，則止不來矣。」

譯文　武王問太公說：「我軍與敵軍在國境綫上相互對峙，敵軍可以前來攻打我軍，我軍也可以前去攻打敵軍，雙方的陣勢都很堅固，誰也不敢率先發動進攻。我軍想前去襲擊敵軍但又擔心敵軍也會來襲擊我軍，應該怎麼辦呢？」

太公回答：「在這種情況下，就把我軍分爲前軍、中軍、突擊隊三部分：令前軍深挖溝壕，高築壁壘，不要出戰，在陣地上佈列旗幟，敲擊鼙鼓，進行守備，做到無懈可擊；令後軍多積糧食，不要讓敵軍得知我軍的意圖；派遣突擊部隊偷襲敵軍中央，擊其不意，攻其無備。敵軍無法瞭解我軍實情，就會按兵不動，不敢前來。」

原文　武王曰：「敵人知我之情，通我之謀，動而得我事，其鋭士伏於深草，要隘路，擊我便處，爲之奈何？」

太公曰：「令我前軍，日出挑戰，以勞其意；令我老弱，曳柴揚塵，鼓呼而往來；或出其左，或出其右，去敵無過百步，其將必勞，其卒必駭。如此，則敵人不敢來。吾往者不止，或襲其內，或擊其外，三軍疾戰，敵人必敗。」

六韜　卷　一○八　崇賢館

……或衝其內，或擊其外。三軍疾戰，或擊其前，或擊其後。勇者不得鬥，輕者不及走，名曰突戰。敵人雖眾，其將必走。」

武王曰：「善哉！」

武王問太公曰：「引兵深入諸侯之地，與敵人衝軍相當，敵眾我寡，敵強我弱，敵人夜來，或攻吾左，或攻吾右，三軍震動。吾欲以戰則勝，以守則固，為之奈何？」

太公曰：「如此者謂之震寇。利以出戰，不可以守。選吾材士強弩，車騎為左右，疾擊其前，急攻其後，或擊其表，或擊其裏，其卒必亂，其將必駭。」

武王曰：「敵人遠遮我前，急攻我後，斷我銳兵，絕我材士，吾內外不得相聞，三軍擾亂，皆敗而走，士卒無鬥志，將吏無守心，為之奈何？」

太公曰：「明哉王之問也！當明號審令，出我勇銳冒將之士，人操炬火，二人同鼓。必知敵人所在，或擊其表，或擊其裏。微號相知，令之滅火，鼓音皆止，中外相應，期約皆當。三軍疾戰，敵必敗亡。」

武王曰：「善哉！」

譯文　武王問：「如果敵軍已經偵察到我軍的實情，通曉我軍的計謀，我軍每有行動，敵軍就知道我軍要做什麼，因而派出精銳部隊埋伏在深草之中，或在隘路上攔截我軍，或在對他們有利的地方攻擊我軍，此時應該怎麼辦呢？」

太公回答：「命令我軍的前軍，每天出去向敵軍挑戰，藉以消磨敵軍的鬥志；命令我軍的老弱士卒拖曳柴草奔馳，揚起塵土，擂鼓吶喊，往來奔跑，以壯聲勢；我軍或在敵人的左方出現，或在敵人的右方出現，與敵人相隔要在百步之外，這樣一定能使敵軍的將領疲於應付，敵軍的士卒震駭恐慌。這樣一來，敵軍就不敢前來攻打我軍了。我軍如此不間斷地襲擾敵軍，或襲擊敵軍的內部，或攻打敵軍的外部，全軍奮力作戰，一定能打敗敵軍。」

動靜第三十七

原文　武王問太公曰：「引兵深入諸侯之地，與敵之軍相當，兩陳相望，衆寡強弱相等，未敢先舉。吾欲令敵人將帥恐懼，士卒心傷，行陳不固，後陳欲走，前陳數顧；鼓噪而乘之，敵人遂走，爲之奈何？」

太公曰：「如此者，發我兵去寇十里而伏其兩旁，車騎百里而越其前後，多其旌旗，益其金鼓。戰合，鼓噪而俱起，敵將必恐，其軍驚駭，衆寡不相救，貴賤不相待，敵人必敗。」

譯文　武王問太公說：「率領軍隊深入敵國境內，我軍與敵軍勢均力敵，兩軍對陣，人數的多寡和戰鬥力的強弱相當，誰也不敢率先發動進攻。在這種情況下，我軍想使敵軍將帥恐懼，士兵憂愁，行陣不堅固，後陣士兵想要臨陣脫逃，前陣的士兵屢次回頭，心中動搖；我軍此時擂鼓吶喊，乘勢進攻，迫使敵人敗陣逃走，應該怎麼辦？」

太公回答：「要達到這個目的，就應該派遣一支部隊繞到距敵軍後方十里

「遇」字，言必於死絕之地，與敵相遇而求一戰。

雲長擂鼓斬蔡陽

古代軍陣中以擊鼓指揮軍隊前進，鼓聲的輕重緩急能調節作戰情緒，鼓舞軍隊士氣。重重的擂鼓聲就表示要發起衝鋒，與敵軍交戰。圖中描繪的是關雲長在張飛一通鼓聲未落前已將蔡陽的人頭砍落的情景。

的地方，在道路兩旁設下埋伏，另外派遣戰車和騎兵在距離敵軍百里的地方，來回運動，時而出現在敵軍前方，時而出現在敵軍後方，並命令部隊多用旌旗，增設金鼓。在雙方戰鬥發起後，擊鼓吶喊，伏兵、車兵、騎兵同時發動進攻，敵軍將帥一定驚恐，士兵一定驚駭，以致各部隊無論人數是多還是少都互不相救，軍中官兵無論是地位高的還是地位低的都互不照顧，敵軍就必然失敗。」

原文　武王曰：「敵之地勢，不可以伏其兩旁，車騎又無以越其前後，敵知我慮，先施其備，我士卒心傷，將帥恐懼，戰則不勝，爲之奈何？」

太公曰：「微哉，王之問也！如此者，先戰五日，發我遠候，往視其動靜，審候其來，設伏而待之。必於死地，與敵相遇，遠我旌旗，疏我行陳，必奔其前，與敵相當。戰合而走，

This page is too faded/low-resolution to reliably transcribe.

擊金而止，三里而還，伏兵乃起，或陷其兩旁，或擊其前後，三軍疾戰，敵人必走。」

武王曰：「善哉！」

譯文　武王問：「假如敵軍所處的地勢不便我軍在其兩旁佈置埋伏，我軍的戰兵和騎兵也不能迂回到敵軍後方，同時敵軍又知曉了我軍的行動計劃，事先做好充分的準備，我軍士兵因此悲觀沮喪，我軍將帥心中懼怕，如果與敵軍交戰，恐怕難以取勝，應該怎麼辦呢？」

太公回答：「您所問的這個問題真微妙啊！在這種情況下，應當在交戰前五天，先派出斥候在遠方偵察，前往窺探敵軍的動靜，清楚地偵察到敵軍正前來進攻，預先設下埋伏等待敵軍到來。一定要在敵軍難以逃脫的絕境與敵軍相遇，疏散我軍旌旗，拉開行列的距離，一定要使前軍急速前進，與敵人對陣。兩軍剛一交戰就撤退，故意鳴金收兵，後退三里再反身攻擊，這時伏兵乘機進攻，或攻擊敵軍兩側，或攻擊敵軍前後，全軍奮力作戰，敵軍一定戰

敗逃走。」

武王說：「您說得真好！」

金鼓第三十八

原文　武王問太公曰：「引兵深入諸侯之地，與敵相當，而天大寒甚暑，日夜霖雨，旬日不止，溝壘悉壞，隘塞不守，斥候懈怠，士卒不戒。敵人夜來，三軍無備，上下惑亂，爲之奈何？」

太公曰：「凡三軍以戒爲固，以怠爲敗。令我壘上，誰何不絕，人執旌旗，外內相望，以號相命，勿令乏音，而皆外向。三千人爲一屯，誡而約之，各慎其處。敵人若來，視我軍之警戒，至而必還，力盡氣息，發我銳士，隨而擊之。」

譯文　武王問太公說：「率領軍隊深入敵國境內，我軍與敵軍勢均力敵，

正好遇上嚴寒或酷暑，或者連天大雨，十天不止，溝壑和營壘全都崩坍損壞，險要的關口、要塞無法守備，偵察哨兵疲憊懈怠，士兵都喪失了應有的戒備。這時，敵人乘夜前來襲擊，全軍都沒有準備，將帥士卒疑惑混亂，對此應該怎麼辦呢？」

太公回答：「凡是軍隊，衹有嚴密戒備纔能堅不可摧，而懈怠疏忽就一定失敗。命令我軍營壘上的哨兵不停地盤詰查問，手持旗幟，與營壘內外聯絡，傳達命令，不要使金鼓之聲斷絕，士卒全部面向敵方。每三千人組成一屯，嚴加告誡和約束，使其在各自守備的地方慎重守備。如果敵人前來攻打，看到我軍警戒森嚴，即使來到我軍陣前也一定會退回，這時敵軍難免力盡氣竭，士氣低落，我軍乘機派遣精銳部隊在敵軍後方追擊。」

原文

武王曰：「敵人知我隨之，而伏其銳士，佯北不止，過伏而還，或擊我前，或擊我後，或薄我壘。吾三軍大恐，擾亂失次，離其處所，爲之奈何？」

太公曰：「分爲三隊，隨而追之，勿越其伏，三隊俱至，或擊其前後，或陷其兩旁，明號審令，疾擊而前，敵人必敗。」

譯文

武王問：「如果敵軍知曉我軍會跟蹤追擊，事先安排精銳部隊埋伏在要道兩旁，然後假裝敗退不止，當我軍路過敵軍設伏所在時，敵軍就掉轉頭來迎戰，伏兵也同時進攻，有的攻擊我軍的前鋒，有的攻擊我軍的後部，有的進攻我軍營壘。這時全軍大爲驚恐，混亂不堪，行列不整，全都離開自己的位置，在這種情況下應該怎麼辦呢？」

太公回答：「應該把我軍的追軍分成三隊，分頭跟蹤追擊敵人，注意不要進入敵人的設伏之地，等三支部隊會齊，再一起進攻，有的攻擊敵人的前方和後方，有的攻擊敵人的兩側，並嚴格申明號令，使士兵奮力作戰，向前進擊，就一定會打敗敵人。」

上，若遇上嚴寒或酷暑，或者連天大雨，十天不止，溝壘全部被毀壞。
險要的關口要塞無法守備，偵察的士兵疏忽懈怠，士兵都喪失了警惕。
這時，敵人乘夜前來襲擊，全軍都沒有準備，軍中士卒驚恐混亂，上下迷惑，
應該怎麼辦？」
太公回答：「凡是軍隊，有戒備才能堅固不可摧，懈怠就會
失敗。命令我軍營壘上的哨兵不停地盤詰查問，手持旗幟，與營壘內外聯絡。
傳達命令，不要使金鼓之聲斷絕，士卒全部面向敵方。每三千人編成一屯，嚴
加告誡約束，使其在各自守備的地方謹慎守衛。如果敵人前來攻打，看到
我軍警戒森嚴，即使來到我軍陣前也一定會退回，這時敵軍已精疲力竭，氣
士氣低落。我軍再派遣精銳部隊在敵後追擊。」

武王曰：「敵人知我隨之，而伏其銳士，佯北不止，遇伏而還，或擊我前，或擊我後，或薄我壘。吾三軍大恐，擾亂失

次，離其處所，爲之奈何？」

太公曰：「分爲三隊，隨而追之，勿越其伏。三隊俱至，或擊其前後，或陷其兩旁，明號審令，疾擊而前，敵人必敗。」

武王問：「如果敵軍知曉我軍會尾隨追擊，事先安排精銳部隊埋
伏在險要地方，假裝敗退不止，當我軍經過敵軍設伏的地方時，伏兵突然
擊，敵軍此時又回過頭來進攻，有的攻擊我軍前方，有的攻擊我軍後方，
有的進攻我軍營壘。這時全軍大為驚恐，混亂不堪，行列不整，全部離開自己
的位置。在這種情況下應該怎麼辦？」
太公回答：「應當將我軍分成三支部隊，分頭跟隨敵人，注意不要
進入敵人的伏擊圈內。等三支部隊會齊，再一起進攻，有的攻擊敵人的前方
和後方，有的攻擊敵人的兩側，明確號令，迅速向前
擊，就一定會打敗敵人。」

絕道第三十九

原文　武王問太公曰：「引兵深入諸侯之地，與敵相守，敵人絕我糧道，又越我前後。吾欲戰則不可勝，欲守則不可久，爲之奈何？」

太公曰：「凡深入敵人之地，必察地之形勢，務求便利。依山林、險阻、水泉、林木而爲之固，謹守關梁；又知城邑、丘墓地形之利。如是，則我軍堅固，敵人不能絕我糧道，又不能越我前後。」

譯文　武王問太公說：「率領軍隊深入敵國境內，與敵軍對壘，這時敵軍斷絕了我軍的糧道，並迂回到我軍後方，從前後兩方夾擊我軍。我想出戰，恐怕難以取勝，我想防守，又不能持久，應該怎麼辦呢？」

太公回答：「凡是深入敵國境內作戰，一定要察明地形和地勢，務必佔領有利地形。依託山林、險阻、水泉、林木來構築營壘、陣勢，謹慎、嚴密地守衛關口和橋梁；掌握城邑、丘墓等有利地形。這樣一來，我軍的防守就十分堅固了，敵人既不能截斷我軍糧道，也不能迂回到我軍後方，從前後兩方夾擊我軍了。」

原文　武王曰：「吾三軍過大林、廣澤、平易之地，吾盟誤失，卒與敵人相薄，以戰則不勝，以守則不固，敵人翼我兩旁，越我前後，三軍大恐，爲之奈何？」

太公曰：「凡帥師之法，當先發遠候，去敵二百里，審知敵人所在。地勢不利，則以武衝爲壘而前，又置兩踵軍於後，遠者百里，近者五十里，即有警急，前後相救。吾三軍常完堅，必無毀傷。」

武王曰：「善哉！」

【譯文】武王問：「我軍經過高大的山林、寬闊的沼澤地及平坦無阻的地域時，盟軍誤時未至，倉促之間同敵軍遭遇，我軍想要進攻擔心不能取勝，想要防守又擔心陣地不堅固，這時敵軍從兩旁包抄我軍，迂回到我軍後方，我軍因此十分恐懼，這應該怎麼辦呢？」

太公回答：「大凡統率軍隊的方法，應當先向遠方派出偵察人員警戒，做到在距離敵軍二百里時，就已經詳細瞭解到敵軍所在的位置。如果地形對我軍不利，就用武衝結成營壘，向前推進，並安排兩支後續部隊在大部隊之後跟進，一支後續部隊與大部隊之間相隔一百里，另外一支相隔五十里，一旦遇到緊急情況，就前後互相救援。我軍如果能經常保持這種完備而堅固的部署，就一定不會受到損傷。」

武王說：「您說得真好！」

略地第四十

【原文】武王問太公曰：「戰勝深入，略其地，有大城不可下，其別軍守險，與我相拒。我欲攻城圍邑，恐其別軍卒至而擊我，中外相合，擊我表裏，三軍大亂，上下恐駭，爲之奈何？」

太公曰：「凡攻城圍邑，車騎必遠，屯衛警戒，阻其外內。中人絕糧，外不得輸，城人恐怖，其將必降。」

【譯文】武王問太公說：「我軍乘勝深入敵境，奪取敵國的土地，但是還有大城未能攻剋，而敵人有一支部隊在城外固守險要地形，與我軍對抗。我想圍攻城池，又擔心城外的那支部隊突然向我軍發動進攻，敵城中的守軍與城外的援軍裏應外合，對我形成兩面夾擊之勢，以致全軍大亂，官兵恐懼震駭，這應該怎麼辦呢？」

太公回答：「凡是攻城圍邑之時，應把戰車、騎兵駐在離城較遠的地方警

城中之人，以為先出者得其徑道而往，其練卒材士必從中出，其老弱者獨在。吾車騎然後深入長驅，敵人之軍必莫敢至。慎勿與之接戰，斷絕其糧道，環圍而守之，必能久其日矣。

戒，隔斷城內的敵人與外界的聯繫。這樣，被圍困在城內的敵人一定會斷絕糧食，而外面的糧食又無法送進去，城內的軍民就一定會恐慌，守城的敵將一定會投降。」

原文

武王曰：「中人絕糧，外不得輸，陰為約誓，相與密謀；夜出，窮寇死戰，其車騎銳士，或衝我內，或擊我外，士卒迷惑，三軍敗亂，為之奈何？」

太公曰：「如此者，當分軍為三軍，謹視地形而處，審知敵人別軍所在，及其大城別堡，為之置遺缺之道，以利其心，謹備勿失。敵人恐懼，不入山林，即歸大邑。走其別軍，車騎遠要其前，勿令遺脫。中人以為先出者得其徑道，其練卒材士必出，其老弱獨在。車騎深入長驅，敵人之軍，必莫敢至。慎勿與戰，絕其糧道，圍而守之，必久其日。無燔人積聚，無壞人宮室，塚樹社叢勿伐，降者勿殺，得而勿戮，示之以仁義，施之以厚德，令其士民曰：『罪在一人。』如此，則天下和服。」

武王曰：「善哉！」

譯文

武王問：「城內敵軍斷糧，城外糧食又無法送進來，這時敵人內外暗中互相聯繫，密謀向外突圍；乘著黑夜出城，拚命死戰，敵人的車兵、騎兵、精銳戰士一起出動，有的突擊我軍內部，有的進攻我軍外面，使我軍士卒驚慌失措，全軍混亂潰敗，這應該怎麼辦呢？」

太公回答：「遇到這種情況，應該把全軍分為三部分，並根據地形情況選擇有利地點駐紮，詳細查明敵人城外部隊所在的位置以及附近還有哪些大城和堡壘，然後故意給被圍困的敵軍留出一條通道，引誘城內敵軍外逃，並嚴密戒備，不要讓敵人跑掉。先逃出的敵人驚恐慌亂，不是想逃入山林，就是想逃往附近的大城。這時我軍的第二支部隊首先趕走敵人在城外的部隊，命令

車兵、騎兵在距城較遠的地方攔擊，一定不能讓他們逃脫。在這種形勢下，城內的敵軍就會誤以爲其先頭部隊已突圍成功，打開了通道，其精兵就一定會繼續出城外逃，只將一些老弱士卒留在城內。然後用我軍的第三支部隊的戰車和騎兵長驅直入，敵人的守城部隊一定不敢繼續突圍，只得退回城中。這時我軍應該格外謹慎，不要急於與敵軍交戰，衹要斷絶敵軍的糧道，進行圍困，時間一長，敵人就一定會投降。攻克城邑之後，不要焚燒他們聚積的物資，不要毁壞他們的房屋，不要砍伐墳地的樹木和社廟的樹林，不要殺戮投降的敵軍士卒，不要虐待俘虜，藉此向敵國民衆展現仁慈，施以恩惠，並向敵國軍民宣佈：『有罪的衹是無道君主一人。』這樣，天下人都會心悦誠服。」

武王説：「您説得真好！」

火戰第四十一

原文　武王問太公曰：「引兵深入諸侯之地，遇深草蓊穢，周吾軍前後左右，三軍行數百里，人馬疲倦休止。敵人因天燥疾風之利，燔吾上風，車騎鋭士，堅伏吾後，吾三軍恐怖，散亂而走，爲之奈何？」

太公曰：「若此者，則以雲梯、飛樓，遠望左右，謹察前後，見火起，即燔吾前而廣延之，又燔吾後。敵人若至，則引軍而卻。按黑地而堅處，敵人之來，猶在吾後，見火起，必還走。吾按黑地而處，強弩材士衛吾左右，又燔吾前後，若此，則敵不能害我。」

譯文　武王問太公：「率領軍隊深入敵國境內，遇到茂密的草叢樹木環繞著我軍的前後左右，我軍已經連續行軍數百里，人馬疲憊不堪，需要宿營休息。這時，敵人乘著乾燥的天氣和大風，在我軍的上風口放火，敵軍的車兵、騎兵、精鋭的戰士頑強地埋伏在我軍後面，造成我全軍恐慌，散亂逃跑，這應

該怎麼辦呢？」

太公回答：「在這種情況下，應該在營地豎起雲梯、飛樓，登高瞭望，嚴密監視前後左右的情況，若發現火起，就立即在營前清出一條防火帶，在距防火帶較遠的開闊地上放火，擴大火焚面積，同時又在我軍後方放火，燒出一塊黑地。如果敵人前來攻打，就帶領軍隊撤退。撤退到黑地上堅守，前來進攻的敵人此時處在我軍的下風口，他們看到火起，就一定會退走。我軍在黑地上佈列陣勢，用強弩和精銳勇猛的戰士掩護左右兩翼，又事先放火燒掉我軍前後的草地，這樣，敵人即使使用火攻也不能加害於我軍了。」

原文 **武王曰：「敵人燔吾左右，又燔吾前後，烟覆吾軍，其大兵按黑地而起，爲之奈何？」**

太公曰：「若此者，爲四武衝陳，強弩翼吾左右。其法無勝亦無負。」

譯文 武王問：「如果敵人既在我軍左右放火，又在我軍前後放火，導致我軍被濃煙覆蓋，而敵人的大軍突然向我軍據守的黑地發動進攻，這應該怎麼辦呢？」

太公回答：「遇到這種情況，應當把我軍結成四武衝陣的陣形，用強弩掩護我軍左右兩翼。這種辦法雖然不能取勝，但也不至於失敗。」

壘虛第四十二

原文 **武王問太公曰：「何以知敵壘之虛實，自來自去？」**

太公曰：「將必上知天道，下知地理，中知人事。登高下望，以觀敵之變動；望其壘，即知其虛實；望其士卒，則知其去來。」

譯文 武王問太公：「怎樣纔能知道敵軍營壘的虛實，以及敵軍是打算進攻還是準備撤退呢？」

太公回答：「作爲將帥，必須上知天時的順逆，下知地形的險易，中知人事的得失。登高下望，觀察敵軍動靜的變化；從遠處瞭望敵軍的營壘，就能知道敵軍的虛實；觀察敵軍士兵的動態，就能知道他們是打算進攻還是準備撤退。」

原文

武王曰：「何以知之？」

太公曰：「聽其鼓無音，鐸無聲，望其壘上多飛鳥而不驚，上無氛氣，必知敵詐而爲偶人也。敵人卒去不遠，未定而復返者，彼用其士卒太疾也。太疾，則前後不相次；不相次，則行陳必亂。如此者，急出兵擊之，以少擊衆，則必勝矣。」

譯文

武王問：「依據什麼纔能知道這些呢？」

太公回答：「敵營中既沒有鼓聲，又沒有鈴聲，遠望敵軍營壘上空有許多飛鳥來回而毫無驚恐，空中也沒有飛揚的塵煙，就可以斷定敵軍已經撤退，

軍中登城樓

要知道敵軍營壘的虛實和調動，就要登高眺望敵營營壘，以觀察敵軍的動靜。這就是所謂的「登高下望，以觀敵之變動。望其壘，即知其虛實。望其士卒，則知其去來」。

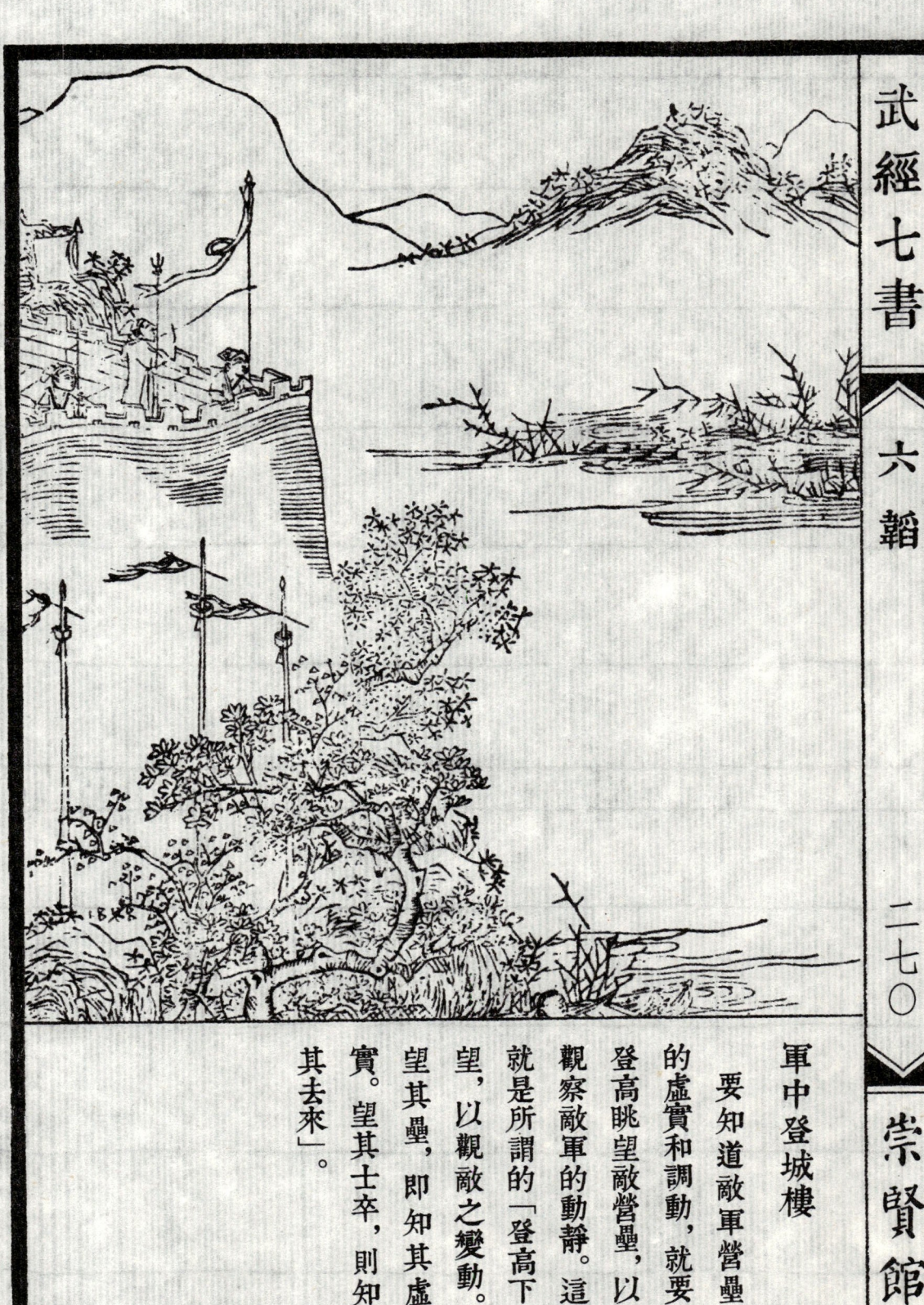

祇是用一些偶人欺騙我們。如果敵軍倉促撤退不遠，還沒有停下來又急忙返回，這表示敵軍是在極其匆忙的情況下調動。在極其匆忙的情況下調動，那麼前後就沒有秩序，不相連接；沒有秩序，不相連接，行列陣勢就必然混亂。在這種情況下，我軍可以迅速出兵攻打，即使以少擊衆，也一定會取得勝利。」

豹韜

林戰第四十三

原文 武王問太公曰：「引兵深入諸侯之地，遇大林，與敵分林相拒。吾欲以守則固，以戰則勝，爲之奈何？」

太公曰：「使吾三軍分爲衝陳，便兵所處，弓弩爲表，戟楯爲裏，斬除草木，極廣吾道，以便戰所。高置旌旗，謹敕三軍，無使敵人知吾之情，是謂林戰。林戰之法：率吾矛戟，相與爲伍；林間木疏，以騎爲輔；戰車居前，見便則戰，不見便則止；林多險阻，必置衝陳，以備前後；三軍疾戰，敵人雖衆，其將可走；更戰更息，各按其部，是謂林戰之紀。」

譯文 武王問太公：「率領軍隊深入敵國境內，遇到大片林地，與敵人各自佔據林地的一部分對峙。我軍想要防守則防禦堅不可破，想要進攻則能取勝，應該怎麼辦呢？」

太公回答：「將軍隊分開，部署成四武衝陣，駐守在便於我軍作戰的地方，每個四武衝陣外層都配備弓弩手，內層配置手執戟和大盾的戰士，斬除草木，廣開道路，方便我軍採取戰鬥行動。高高地豎起旗幟，嚴格約束全軍，不要讓敵軍知曉我軍的情況，這就是所說的林地作戰的戰鬥準備。林地作戰的方法是：將我軍使用矛戟的步兵編組爲互相配合的戰鬥分隊；林地中樹木稀疏的地方，就派騎兵輔助作戰；把戰車擺在前面，發現有利時機我軍就戰鬥，沒

有發現有利時機就停止不前；遇到林地中的險阻地形，一定要部署成四武衝陣陣形，防備敵軍攻擊我軍前後；全軍奮力作戰，敵人即使人多勢衆，也會被我軍擊敗逃遁；我軍在戰鬥過程中輪番戰鬥，輪番休息，各部隊均按編組行動，這就是林地作戰的原則。」

突戰第四十四

原文 武王問太公曰：「敵人深入長驅，侵掠我地，驅我牛馬；其三軍大至，薄我城下，吾士卒大恐，人民繫累，爲敵所虜。吾欲以守則固，以戰則勝，爲之奈何？」

太公曰：「如此者，謂之突兵，其牛馬必不得食，士卒絕糧，暴擊而前。令我遠邑別軍，選其銳士，疾擊其後；審其期日，必會於晦。三軍疾戰，敵人雖衆，其將可虜。」

譯文 武王問太公：「敵人進攻我國，長驅直入，侵掠我國的土地，搶奪我國的牛馬；他們的大軍蜂擁而來，逼近城下，我軍士卒十分恐慌，民衆被敵軍捆綁拘禁，成爲俘虜。在這種情況下，我想要防守則防禦堅不可破，想要戰鬥則能取勝，應該怎麼辦呢？」

太公回答：「像這種驟然進攻的軍隊，稱爲突兵，他們的牛馬必定缺乏飼料，士卒斷糧，祇能迅猛地向我軍發動進攻。在這種情況下，應該命令我方駐紮在遠方的另一支部隊，挑選精銳的戰士，迅速在敵人的後方展開攻擊；詳細計算並確定會攻的時間，一定要在沒有月光的夜晚來會合。全軍奮勇作戰，敵人即使人數衆多，也一定能擊敗敵軍，活捉敵將。」

原文 武王曰：「敵人分爲三四，或戰而侵掠我地，或止而收我牛馬，其大軍未盡至，而使寇薄我城下，致吾三軍恐懼，爲之奈何？」

太公曰：「謹候敵人未盡至，則設備而待之。去城四里而

爲壘，金鼓旌旗，皆列而張，別隊爲伏兵；令我壘上多積強弩，百步一突門，門有行馬，車騎居外，勇力鋭士隱伏而處。敵人若至，使我輕卒合戰而佯走。令我城上立旌旗，擊鼙鼓，完爲守備。敵人以我爲守城，必薄我城下。發吾伏兵，以衝其內，或擊其外。三軍疾戰，或擊其前，或擊其後。勇者不得鬥，輕者不及走。名曰突戰。敵人雖衆，其將必走。」

武王曰：「善哉！」

【譯文】武王問：「如果敵軍分成三四部分，有的繼續進攻以侵佔我方土地，有的駐紮某地以搜尋、掠奪我軍牛馬財物，敵軍的主力部隊還沒有全部趕到，而先用一部兵力進逼我城下，導致我方全軍恐慌，應該怎麼辦呢？」

太公回答：「應該派人仔細偵察情況，在敵人還沒有全部到達前，就做好完善的守備，等待敵軍。在離城四里的地方修築營壘，排列好金鼓，豎起旌

旗，並另外派一支部隊擔任伏兵；命令守營壘的部隊在營壘上多配置強弩，每百步設置一個突門，門前設置行馬，將戰車、騎兵安排在營壘的外面，勇猛精鋭的士卒隱蔽埋伏起來。如果敵軍到來，先派我軍輕裝步兵與敵軍交戰，並佯裝不敵敗走。令我軍的守軍在城上豎起旗幟，敲響小鼓和大鼓，做好一切守備工作。敵人認爲我軍的主力在防守城邑，一定會進逼城下。這時突然出動我軍的伏兵，或衝進敵軍陣內，或攻擊敵軍外陣。同時再令我全軍奮勇出擊，或攻擊敵軍前部，或攻擊敵軍後部。這樣一來，使敵軍中勇敢的無法戰鬥，行動敏捷的來不及逃跑。這種戰法稱爲突戰。使用這種戰法，敵軍雖然人數衆多，其將領也必定會因爲戰敗而逃走。」

武王說：「您說得真好！」

敵強第四十五

【原文】武王問太公曰：「引兵深入諸侯之地，與敵人衝軍相

壘，金鼓旌旗，皆列而張。別隊為伏兵，令我壘上多積強

弩，百步一突門，門有行馬，車騎居外，勇力銳士隱伏而處。

敵人若至，使我輕卒合戰而佯走；令我城上立旌旗，擊鼙鼓，

完為守備。敵人以我為守城，必薄我城下。發吾伏兵以衝其

內，或擊其外。三軍疾戰，或擊其前，或擊其後。勇者不得鬥，

輕者不及走，名曰突戰。敵人雖眾，其將必走。」

武王曰：「善哉！」

武王問：「[illegible]

[illegible]

[illegible]

太公回答：「[illegible]

[illegible]

[illegible]

[illegible]

[illegible]

[illegible]

[illegible]

[illegible]

[illegible]

[illegible]

武王說：「說得真好！」

敵強第四十五

武王問太公曰：「引兵深入諸侯之地，與敵人衝軍相

炬，束葦爲把而燒之也。二人同擊一鼓，所謂夜戰多火鼓也。必察知敵人所在之處，或擊其表裏；微號相知，以之滅火，鼓音亦止，中外互相接應，期約皆當；使三軍疾戰，敵人必敗亡矣。

當，敵衆我寡，敵強我弱，敵人夜來，或攻吾左，或攻吾右，三軍震動。吾欲以戰則勝，以守則固，爲之奈何？」

太公曰：「如此者，謂之『震寇』。利以出戰，不可以守。選吾材士強弩，車騎爲之左右，疾擊其前，急攻其後，或擊其表，或擊其裏，其卒必亂，其將必駭。」

譯文

武王問太公：「率領軍隊深入敵國境內，與敵軍突擊部隊相遇對陣，敵衆我寡，敵強我弱，而敵人又乘夜來襲，或進攻我軍左翼，或進攻我軍右翼，使我全軍震駭驚恐。我想要進攻則能夠取勝，防禦則堅不可破，應該怎麼辦呢？」

太公回答：「像這樣的敵人稱爲『震寇』。對付這樣的敵人，我軍積極出戰是有利的，而防守則是不適宜的。應該選拔精銳的戰士手執強弩，並用戰車、騎兵在左右兩側守衛輔佐，迅速地攻擊敵軍的首尾，或攻擊敵軍的外層，或攻擊敵軍的內層，就一定能使敵軍混亂，使敵軍將帥驚慌失措。」

原文

武王曰：「敵人遠遮我前，急攻我後，斷我銳兵，絕我材士，吾內外不得相聞，三軍擾亂，皆散而走，士卒無鬥志，將吏無守心，爲之奈何？」

太公曰：「明哉！王之問也。當明號審令，出我勇銳冒將之士，人操炬火，二人同鼓，必知敵人所在。或擊其表，或擊其裏，微號相知，令之滅火，鼓音皆止，中外相應，期約皆當，三軍疾戰，敵必敗亡。」

武王曰：「善哉！」

譯文

武王問：「敵人如果在遠處阻截我軍前方的通路，急速地攻擊我軍後部，截斷我軍精銳部隊之間的聯繫，阻止我軍前來救援的精銳戰士，使我軍前後方失去聯繫，導致全軍混亂，四散逃走，士卒失去鬥志，將帥無心固

守，應該怎麼辦呢？」

太公回答：「您提出的這個問題眞高明啊！遇到這種情況，應該申明號令，出動我軍勇猛精銳敢於冒險的士兵，每人手持火把，兩人同擊一鼓，必須預先探知敵軍所處的位置。然後突然發動進攻，或攻擊敵軍的外層，或衝擊敵軍的內層，用暗號互相識別，密令下達，就一起撲滅火把，停止擊鼓，然後內外互相策應，各部隊按事先約定的計劃行動，全軍都勇猛出擊，敵軍必定會失敗滅亡。」

武王說：「您說得眞好！」

敵武第四十六

原文　武王問太公曰：「引兵深入諸侯之地，卒遇敵人，甚衆且武，武車驍騎繞我左右，吾三軍皆震，走不可止，爲之奈何？」

太公曰：「如此者，謂之『敗兵』。善者以勝，不善者以亡。」

譯文　武王問太公：「率領軍隊深入敵國境內，突然與敵軍遭遇，敵軍人數衆多並且勇武，以武衝大戰車和勇猛的騎兵包抄我軍左右兩翼，我軍全軍震駭，敗退奔逃，不可阻止，此時應該怎麼辦呢？」

太公回答：「處於這種情況下的軍隊稱爲『敗兵』。善於指揮、應變的人，還有希望取勝；不善於指揮、應變的人，必然敗亡。」

原文　武王曰：「用之奈何？」

太公曰：「伏我材士強弩，武車驍騎爲之左右，常去前後三里，敵人逐我，發我車騎，衝其左右。如此，則敵人擾亂，吾走者自止。」

譯文　武王問：「處於這種情況下應該怎麼做呢？」

太公回答：「應該讓我軍的精鋭戰士手執強弩埋伏起來，並把大型戰車和勇猛的騎兵安排在左右兩翼，伏擊地點通常選在距離我軍主力部隊後約三里的地方，敵人如果前來追擊，就出動戰車和騎兵，攻擊敵軍左右兩側。這樣，敵軍就會陷入混亂，我方軍中逃跑的士卒就不會再逃跑了。」

原文 武王曰：「敵人與我車騎相當，敵衆我少，敵強我弱，其來整治精鋭，吾陳不敢當，爲之奈何？」

太公曰：「選我材士強弩，伏於左右，車騎堅陳而處。敵人過我伏兵，積弩射其左右，車騎鋭兵，疾擊其軍，或擊其前，或擊其後，敵人雖衆，其將必走。」

武王曰：「善哉！」

譯文 武王問：「敵軍與我軍的戰車和騎兵相遇，敵衆我寡，敵強我弱，敵軍的陣勢整齊，士卒精鋭，我軍的陣勢難以抵擋，應該怎麼辦呢？」

太公回答：「在這種情況下，應該選拔我軍精鋭之士和強弩，埋伏在左右兩側，將戰車和騎兵佈成堅固的陣列進行防守。當敵人通過我軍設伏的地方時，就用積弩射擊敵軍的左右兩翼，同戰車、騎兵和精鋭戰士猛烈攻擊敵軍，或攻擊敵軍的前部，或攻擊敵軍的後部，敵人雖然人數衆多，也必定能打敗他們，迫使敵將逃走。」

武王説：「您説得眞好！」

烏雲山兵第四十七

原文 武王問太公曰：「引兵深入諸侯之地，遇高山磐石，其上亭亭，無有草木，四面受敵，吾三軍恐懼，士卒迷惑。吾欲以守則固，以戰則勝，爲之奈何？」

太公曰：「凡三軍處山之高，則爲敵所棲；處山之下，則爲敵所囚。既以被山而處，必爲烏雲之陳。烏雲之陳，陰陽皆

佔對山黃忠以逸待勞

劉備使黃忠攻打定軍山，夏侯淵固守不戰。黃忠佔領對山，激夏侯淵出戰，自己反客爲主，以逸待勞，將夏侯淵斬殺。這是山地戰中，利用戰術智謀戰勝強敵的例子。

備，或屯其陰，或屯其陽。處山之陽，備山之陰；處山之陰，備山之陽；處山之左，備山之右；處山之右，備山之左。其山敵所能陵者，兵備其表，衢道通谷，絕以武車，高置旌旗，謹敕三軍，無使敵人知吾之情，是謂山城。行列已定，士卒已陳，法令已行，奇正已設，各置衝陳於山之表，便兵所處，乃分車騎爲鳥雲之陳。三軍疾戰，敵人雖衆，其將可擒。」

譯文

武王問太公：「率領軍隊深入敵國境內，遇到高山巨石，山頂高高聳立，沒有草木，我軍處於四面受敵的境地，全軍恐懼不安，士兵疑慮惶恐。我要想進行防守則能堅不可破，想要進攻則能取勝，應該怎麼辦呢？」

太公回答：「大凡軍隊處於山頭，就容易被敵軍圍困在山上；大凡軍隊處於山腳，就容易被敵軍圍困在山腳的谷地。既然佔領了整個山頭，就必須排列成鳥雲之陣。所謂鳥雲之陣，就是既能防禦山的北面，又能防禦山的南面，

[illegible]

備，或屯其陰，或屯其陽。處山之陽，備山之陰；處山之陰，備山之陽；處山之左，備山之右；處山之右，備山之左。其山敵所能陵者，兵備其表；衢道通谷，絕以武車。高置旌旗，謹敕三軍，無使敵人知吾之情，是謂山城。行列已定，士卒已陳，法令已行，奇正已設，各置衝陳於山之表，便兵所處。乃分車騎為鳥雲之陳。三軍疾戰，敵人雖眾，其將可擒。」

【譯文】武王問太公：「率領軍隊深入敵國境內，遇到高山巨石，山峰聳立，沒有草木，我軍四面受敵，全軍恐懼不安，士兵迷惑，我要想進行守衛就能堅固不可攻破，想要發起進攻就能取勝，應該怎麼辦呢？」

太公回答：「大凡軍隊處於山頂，就容易被敵軍圍困在山上；大凡軍隊處於山下，就容易被敵軍圍困在山谷中。既然依山紮營，就必須布成鳥雲之陣。所謂鳥雲之陣，就是山南山北都有所準備，或軍隊或者駐守在山的北面，或者駐守在山的南面。駐守在山的南面，就要戒備山的北面；駐守在山的北面，就要戒備山的南面；駐守在山的左面，就要戒備山的右面；駐守在山的右面，就要戒備山的左面。在這座山上，凡是敵軍能夠攀登的地方，都要派兵守備，要派戰車在交叉路口和谷口進行阻絕，高掛旗幟，整飭三軍，不要讓敵人察知我軍情況，這樣整座山可以稱之爲山城。部隊的行列已經安排好，士卒已經佈成陣勢，法令已經頒行，奇正的運用已經確定，各部隊在山上比較突出的高地便於作戰的地方編成四武衝陣，然後把戰車和騎兵佈成烏雲之陣。敵軍如果前來攻打，我軍猛烈還擊，敵軍雖然人數衆多，也一定能打敗他們，活捉他們的主將。」

烏雲澤兵第四十八

原文 武王問太公曰：「引兵深入諸侯之地，與敵人臨水相拒，敵富而衆，我貧而寡，踰水擊之則不能前，欲久其日則糧食少。吾居斥滷之地，四旁無邑，又無草木，三軍無所掠取，牛馬無所芻牧，爲之奈何？」

太公曰：「三軍無備，牛馬無食，士卒無糧，如此者，索便詐敵而亟去之，設伏兵於後。」

譯文 武王問太公：「率領軍隊深入敵國境內，與敵軍隔河對峙，敵軍物資充足，兵力衆多，而我軍物資貧乏，兵力不足，想要渡河進攻則無力前進，想要長期對峙則糧草不足。我軍處於貧瘠荒蕪的鹽鹼地，四週既沒有城邑又沒有草木，軍隊既無處可以掠取物資，又無處放牧牛馬，應該怎麼辦呢？」

太公回答：「軍隊沒有必要的戰備，牛馬缺乏飼料，士卒缺乏糧食，在此情況下，應當尋找合適的機會，欺騙敵人，迅速轉移到別的地方，並在後面設下埋伏，應付敵人的追擊。」

原文 武王曰：「敵不可得而詐，吾士卒迷惑，敵人越我前

後，吾三軍敗亂而走，爲之奈何？」

太公曰：「求途之道，金玉爲主，必因敵使，精微爲寶。」

譯文 武王問：「如果敵人不受我軍的詐騙，我軍士卒迷惑恐懼，敵人包抄我軍前後，我全軍潰退敗逃，應該怎麼辦？」

太公答道：「這時尋求退路的方法，主要是用金玉財寶引誘敵人前來掠奪，同時賄賂敵方使者，最關鍵的，是事情必須辦得精細隱秘。」

原文 武王曰：「敵人知我伏兵，大軍不肯濟，別將分隊以踰於水，吾三軍大恐，爲之奈何？」

太公曰：「如此者，分爲衝陳，便兵所處，須其畢出，發我伏兵，疾擊其後；強弩兩旁，射其左右。車騎分爲烏雲之陳，備其前後，三軍疾戰。敵人見我戰合，其大軍必濟水而來，發我伏兵，疾擊其後，車騎衝其左右，敵人雖衆，其將可走。凡用兵之大要，當敵臨戰，必置衝陳，便兵所處，然後以車騎分爲烏雲之陳，此用兵之奇也。所謂烏雲者，烏散而雲合，變化無窮者也。」

武王曰：「善哉！」

譯文 武王問：「敵人已經得知我軍設有伏兵，大軍不肯渡河，並派分遣隊的將領率領一支小部隊渡河進攻，我軍十分驚恐，應該怎麼辦呢？」

太公答道：「在這種情況下，應該把軍隊分開，各部隊部署爲四武衝陣，駐守在便於作戰的地方，等待敵軍全部渡河，然後讓我軍的伏兵發動進攻，猛烈攻擊敵軍的後部；用強弩從兩旁射擊敵軍的左右。戰車和騎兵組成烏雲之陣，在前後戒備，全軍都勇猛作戰。敵軍發現我軍與他們渡過河的小部隊交戰，其大軍一定會渡過河來接應，這時發動我軍的伏兵，猛烈攻擊敵軍的後部，並用戰車和騎兵沖擊敵軍左右兩翼，這樣，敵軍雖然人數衆多，也一定

會被我軍打敗，他們的將領也必定逃走。大凡用兵的基本原則，在於當與敵軍對陣面臨作戰時，一定要把軍隊佈列爲四武衝陣，配置在適合作戰的地方，然後把戰車和騎兵佈成烏雲之陣，這就是出奇制勝的用兵方法。所謂烏雲，就是烏散雲合，靈活機動，變化無窮。」

武王說：「您說得眞好！」

少衆第四十九

原文

武王問太公曰：「吾欲以少擊衆，以弱擊強，爲之奈何？」

太公曰：「以少擊衆者，必以日之暮，伏於深草，要之隘路；以弱擊強者，必得大國之與，鄰國之助。」

譯文

武王問太公：「我想要以少擊衆，以弱擊強，應該怎麼辦呢？」

太公答道：「以少擊衆，必須乘黃昏天黑，把軍隊埋伏在深草叢中，在狹窄險要的道路上攔擊敵人；以弱擊強，必須得到大國的協助和鄰國的支援。」

原文

武王曰：「我無深草，又無隘路，敵人已至，不適日暮；我無大國之與，又無鄰國之助，爲之奈何？」

太公曰：「妄張詐誘，以熒惑其將，迂其道，令過深草，遠其路，令會日暮，前行未渡水，後行未及舍。發我伏兵，疾擊其左右，車騎擾亂其前後，敵人雖衆，其將可走。事大國之君，下鄰國之士，厚其幣，卑其辭。如此，則得大國之與，鄰國之助矣。」

熒惑，火星名也，以其光熒可疑惑人也。

武王曰：「善哉！」

譯文

武王問：「如果我軍所處的地方既沒有深草地帶可以設置埋伏，又沒有險要狹窄的道路可以利用，敵軍已經到達，但是不是在黃昏天黑的時候到達；我方既沒有大國的協助，也沒有鄰國的支援，應該怎麼辦呢？」

太公回答：「此時應該虛張聲勢，引誘詐騙敵將，使其迷惑，誘使敵人迂回前進，一定要使他們經過深草地帶，引誘敵軍繞走遠路，延誤時間，一定要使其正好在黃昏天黑，敵軍的先頭部隊還沒有全部渡水，後續部隊來不及宿營時，同我軍遭遇。此時，發動我軍的伏兵，迅速猛烈地攻擊敵軍的左右兩翼，並令我軍的戰車和騎兵在敵軍前後騷擾，這樣，敵人雖然人數衆多，也一定會被我軍打敗，迫使他們的主將逃跑。恭敬地事奉大國的君主，謙卑地禮遇鄰國的賢士，多送錢財，言辭謙遜，這樣就能獲得大國的支持和鄰國的援助。」

武王說：「您說得真好！」

分險第五十

原文 武王問太公曰：「引兵深入諸侯之地，與敵相遇於險阨之中，吾左山而右水，敵右山而左水，與我分險相拒，各欲以守則固，以戰則勝，爲之奈何？」

太公曰：「處山之左，急備山之右；處山之右，急備山之左。險有大水無舟楫者，以天潢濟吾三軍。已濟者，亟廣吾道，以便戰所。以武衝爲前後，列其強弩，令行陳皆固。衢道谷口，以武衝絕之，高置旌旗，是謂車城。凡險戰之法，以武衝爲前，大櫓爲衛，材士強弩翼吾左右。三千人爲屯，必置衝陳，便兵所處。左軍以左，右軍以右，中軍以中，並攻而前。已戰者還歸屯所，更戰更息，必勝乃已。」

武王曰：「善哉！」

譯文 武王問太公：「率領軍隊深入敵國境內，與敵軍在險阻狹隘的地方相遇，我軍左依山右臨水，敵軍右依山左臨水，雙方各自佔據一部分險要之地對峙，雙方都想做到進行防守則堅不可破，進行進攻則能取勝，應該怎

麼辦呢？」

太公回答：「如果我軍佔據山的左側，就應該迅速加強對山的右側的戒備；如果我軍佔據山的右側，就應該迅速加強對山的左側的戒備。險要地區如有大江大河，而我軍沒有船隻，就應該用天潢使我軍渡河。已經渡河的先頭部隊應該迅速開闢前方的道路，搶佔有利地形，以便我軍採取作戰行動。把武衛戰車配置在我軍的前後進行掩護，佈列強弩，使我軍的陣勢堅定穩固。在交通要道和山谷的谷口用武衛戰車進行阻絕，高掛旌旗，這種用戰車連接起來的防禦陣勢可以稱爲車城。大凡在險要地帶作戰的方法是，把武衛戰車配置在軍隊的前方，用大盾牌進行防衛，派遣精銳的戰士手執強弩在軍隊左右兩翼掩護。每三千人爲一屯，一定要編成四武衛陣，駐守在便於作戰的地形上。戰鬥時，左翼部隊向左路進攻，右翼部隊向右路進攻，中間的部隊向中間進攻，三軍齊頭並進。已戰的部隊回到原屯駐之地進行休整，未戰的部隊依次投入戰鬥，輪番作戰，輪番休息，直到取得勝利纔停止。」

武王說：「您說得眞好！」